総合判例研究叢書

民　法（5）

有　斐　閣

民法・編集委員

谷口知平

有泉亨

序

フランスにおいて、自由法学の名とともに判例の研究が異常な発達を遂げているのは、その民法典が百五十余年の齢を重ねたからだといわれている。それに比較すると、わが国の諸法典は、まだ若い。最も古いものでも、六、七十年の年月を経たに過ぎない。しかし、わが国の諸法典は、いずれも、近代的法制を全く知らなかつたところに輸入されたものである。そのことを思えば、この六十年の間に極めて重要な判例の変遷があつたであろうことは、容易に想像がつく。事実、わが国の諸法典は、それに関連する判例の研究でこれを補充しなければ、その正確な意味を理解し得ないようになつている。

判例が法源であるかどうかの理論については、今日なお議論の余地があろう。しかし、実際問題として、多くの条項が判例によつてその具体的な意義を明かにされているばかりでなく、判例によつて特殊の制度が創造されている例も、決して少くはない。判例研究の重要なことについては、何人も異議のないことであろう。

判例の創造した特殊の制度の内容を明かにするためにはもちろんのこと、判例によつて明かにされた条項の意義を探るためにも、判例の総合的な研究が必要である。同一の事項についてのすべての判決を探り、取り扱われた事実の微妙な差異に注意しながら、総合的・発展的に研究するのでなければ、判例の研究は、決して終局の目的を達することはできない。そしてそれには、時間をかけた克明な努力を必要とする。

幸なことには、わが国でも、十数年来、そうした研究の必要が感じられ、優れた成果も少くないようになった。いまや、この成果を集め、足らざるを補ない、欠けたるを充たし、全分野にわたる研究を完成すべき時期に際会している。

かようにして、われわれは、全国の学者を動員し、すでに優れた研究のできているものについては、その補訂を乞い、まだ研究の尽されていないものについては、新たに適任者にお願いして、ここに「総合判例研究叢書」を編むことにした。第一回に発表したものは、各法域に亙る重要な問題のうち、研究成果の比較的早くでき上ると予想されるものである。これに洩れた事項でさらに重要なもののあることは、われわれもよく知つている。やがて、第二回、第三回と編集を継続して、完全な総合判例法の完成を期するつもりである。ここに、編集に当つての所信を述べ、協力される諸学者に深甚の謝意を表するとともに、同学の士の援助を願う次第である。

昭和三十一年五月

編集代表
小野清一郎　宮沢俊義
末川博　我妻栄
中川善之助

凡　例

一　判例の重要なものについては、判旨、事実、上告論旨等を引用し、各件毎に一連番号を附した。

二　判例年月日、巻数、頁数等を示すには、おおむね左の略号を用いた。

大判大五・一一・八民録二二・二〇七七　（大審院判決録）

（大正五年十一月八日、大審院判決、大審院民事判決録二十二輯二〇七七頁）

大判大一四・四・二三刑集四・二六二　（大審院判例集）

最判昭二二・一二・一五刑集一・一・八〇　（最高裁判所判例集）

（昭和二十二年十二月十五日、最高裁判所判決、最高裁判所刑事判例集一巻一号八〇頁）

大判昭二・一二・六新聞二七九一・一五　（法律新聞）

大判昭三・九・二〇評論一八民法五七五　（法律評論）

大判四・五・二二裁判例三・刑法五五　（大審院裁判例）

福岡高判昭二六・一二・一四刑集四・一四・二一一四　（高等裁判所判例集）

大阪高判昭二八・七・四下級民集四・七・九七一　（下級裁判所民事裁判例集）

最判昭二八・二・二〇行政例集四・二・二三一　（行政事件裁判例集）

名古屋高判昭二五・五・八特一〇・七〇　（高等裁判所刑事判決特報）

東京高判昭三〇・一〇・二四東京高時報六・二・民二四九　（東京高等裁判所判決時報）

札幌高決昭二九・七・二三高裁特報一・二・七一　（高等裁判所刑事裁判特報）

前橋地決昭三〇・六・三〇労民集六・四・三八九　（労働関係民事裁判例集）

その他に、例えば次のような略語を用いた。

裁判所時報＝裁　時　家庭裁判所月報＝家裁月報

判例時報＝判　時　判例タイムズ＝判　タ

目次

流水利用権　渡辺洋三

法定地上権　林千衛

抵当権の及ぶ目的物の範囲　於保不二雄

流水利用権

渡辺洋三

はしがき

流水利用権は慣習法上の権利であるから、この権利を理解するためには、慣習の実態そのものが実は問題とされねばならない。したがつて法解釈もまた、他の実定法上の権利のように実定法の論理的構造をどう構成するかという点に主眼があるのでなく、むしろ現実の慣習をどのように論理的に再構成するかという点に主眼が置かれざるをえない。この意味で本稿の論述が他の方たちの論稿と多少異つた体裁のものとなつたことを読者諸氏にお断りしておかなくてはならない。

流水利用権といつてもいろいろの種類の利用権があるのであるが、慣習法上の水利権に重点を置く結果、ここではとくに農業水利権を中心に取りあげることにした。この慣行水利権は現行実定法の体系においては公私法の両体系にまたがつて規律されているのであるが、本稿が「民法」の部に入れられるものであることを考慮して、主にその私法的側面に焦点を合わせた。公法的側面は私法的側面の研究に必要な限度でのみ若干ふれるにとどまつた。

流水利用権について出された戦後の判例は下級審のを加えてもほんのわずかな数しかない。圧倒的大部分の判例は戦前のそれであり、しかも明治、大正期のものがとくに多い。したがつてここに引用されている判例の多くのものは、すでに先学諸氏によつて紹介され、また拙著「農業水利権の研究」に収められているものであり、あたらしく発掘したものではない。すでに「農業水利権の研究」を読まれた方には本稿の内容で重複している箇所が多々あることを了承されるであろう。

一　流水利用権の意義、成立および性質

一　意　義

（一）　ここで流水利用権とは、いわゆる公水の特別使用のうち旧慣にもとづいて成立している慣習法上の権利をいう。公水と私水ないし公川と私川との区別についてはさまざまの学説が存するが「要は特定の私人に一流水の所有権的使用即ち完全な支配権を許容するも、公共の利害に影響なきものなりや否やを以て其の区別の標準となすべきである」（柳川真佐夫「農業用水権に関する研究」農林省農地局農業水利関係資料一、三頁）から、たとえば「舟筏ヲ通セサル河川モ長野県令河川取締ノ規則ノ適用アリ」（行判明三六・四・一一行録一四・二六一）とか「地盤ノ何人ノ所有ニ属スルヤ否ヤハ……本件県令ヲ適用スヘキヤ否ヤヲ定ムルニ於テ必要ナキモノトス」（行判明三五・一二・二五行録五七・一〇九）等（註一）のごとく、舟筏の通行可能の如何により、あるいは地盤が官有か民有かによつて公水私水の区別とすることはできない。また河川法の適用または準用の有無も関係ない。したがつて「我国に於ては原則として自然の流水は其の些細なるものと雖、公水として私人の之が独占的使用の範囲を公共の目的より制限する必要がある」（柳川「前掲」四頁）と考えるべきである。かくして私人または私企業の公流水利用は私法的規律の対象となると同時に公法的規律の対象ともなるのであり、この意味で流水利用権は公私法の二重の適用を受ける（註二）が、本稿ではその主要な考察を私法的側面に限定する。

（註一）　もつとも反対の判例もないわけではない。たとえば「用水路敷地及両岸ハ共ニ官有地ト認ムルヲ以テ依ッテ公流ナリト認定ス」（浦和地判大六・六・二三）。学説にも地盤の所有の帰属で公私水を区別する見解がある（我妻栄

「物権法」一九一頁）。しかし私有地の敷地を流れる水がかならずしも私水ではないであろう。

（註二）　従来の判例学説中には、私水＝私法（民法）の規律を受ける水、公水＝公法の規律を受ける水、という風に形式的に分ける傾向が存在した。かつて行政裁判制度時代には訴訟管轄もちがつていたから、公私法の区別にこだわつていた点もあつたろうが、現在私水か公水かを概念的に区別することは正しくあるまい。私有地を流れる水は民法の対象となると同時に公益的見地から制限をうける。私有地の中の溜水も私法の適用を受けるとともに治水の観点からは公法的規律の対象ともなろう。形式的区別をやめ、社会的実態に照らして考えるとき、公私法二重の支配を受けるものとするのが妥当であろう。

（二）　公水の利用は一般使用と特別使用とに区別される。一般使用とは不特定任意の人が非継続的、非独占的、非排他的に自由に水を利用する場合であり、その利用の仕方は河川ないし水流の現状を変更しないのが通常である。これに対し、特別使用とは特定人が河川水流を排他的独占的かつ継続的に使用する場合であり、その利用の仕方は、水利施設物を利用し、あるいは水流の現状に変更を加える（水量を減ずる等）のが通常である。両者の区別の本質は、その使用がどれだけ排他的独占的な流水支配であるかという点にある。交通、水浴、洗濯、非継続的飲水等が一般使用であり、農業用水権や工業用水権が特別使用であることについては争いがない。流木権、[註一] 排水権等[註二]については明瞭でないが、特別使用と解すべきであろう。[註三]

（註一）　流木権については争いのあるところであるが最近注目すべき判決が出された。慣習上の流木権については第二審判決が「控訴人等は最早自然の公物である天の川の河水を流木に利用し得る単なる自由を有するという程度のものでなく、更に一歩を前進して慣習法に従つてその居住地域の住民として同地域において流木の為にする河川の使用権を取得していたものといわなければならぬ」としたのに対し、最高裁もこれを支持する（最判昭二五・一二・一民集四・一二・一）。

（註二）　排水については「排水権」という独占的な支配権としての権利範ちゅうが成立するかどうか、判例においても明らかにされていない（否定した判例もある――後述（4）の判例）し、慣習の実態調査自体もすすんでいないので断定できない。しかし筆者の調査したかぎりでは、公流水のうえに一種の地役権類似の特別使用権が成立する場合がある。とくに排水施設物が設けられている場合には（排水機、排水路）、これら施設物による排水行為が、排水権という特別使用権にまで高められていることはうたがいをいれない。

（註三）　一般使用の法律的性質については、通説は非権利説すなわち権利にあらずしていわゆる反射的利益であるとする見解をとつている（武井群嗣「土木行政要義」、岡田文秀「河川法」）。しかし、公共河川の使用は、国が近代に至り統一的に河川の管理を着手するに至るよりずつと前から、国民の生活に欠くことのできない手段として、広く行われてきたものである。したがつて一般使用といえども、決して国がこれを許した結果あたらしく生じたものでない。国民のこの重要な利益は、一種の自由権として尊重されるべきであり、その侵害に対しては法律上の救済があたえられるべきであろう。判決のなかにもかつて一般使用の侵害について自由権の侵害ありと解釈した例がある（大判明三一・六・一民録四・六・一）し、公水の一般使用と同じ性質を有する公道通行権の侵害についてこれを自由権の侵害として民事上の不法行為責任をみとめた例もある（大判明三一・三・三〇民録四・三・八五）。ただし一般使用の侵害が刑法上の水利妨害罪となるかについては消極的に解釈されてきた。すなわち「凡ソ刑法第四百十三条ニ所謂水利妨害ノ所為アリトスルニハ其所為カ単ニ他人ノ水利ヲ妨害シタルノミヲ以テ足レリトセス他人ノ水利妨害トナルヘキ其所為カ水利ニ関スル他人ノ権利侵害ヲ構成スルコトヲ必要トスヘキハ毫モ疑ナシトス何トナレハ或人ノ為シタル行為カ正当ナル権利ノ実行ニシテ他人ノ権利ノ侵害ヲ構成セサル限リハ縦シ是カ為メ他人ノ利益ヲ害スルコトアリトスルモ民事上並ニ刑事上ノ責任ヲ惹起スヘキ理由ナケレハナリ」（大判明三七・三・七刑録一〇・四二九）と。

二　流水利用権の成立

（一）特別使用には慣習にもとづいて成立するものと河川管理者たる行政庁の許可によつて成立するものがある。農業用水権は主として前者に属し、工業用水権は主として後者に属する。河川法の適用ないし準用のない河川において「多年ノ地方的慣習ニ依リ、特別ノ特許行為ニ依ラスシテ使用権ノ成立ヲ認ムヘキモノアリ。殊ニ公ノ流水ヨリ引水ヲ為シ又ハ之ニ排水ヲ為スノ権利ハ最モ普通ニ認メラルル所ナリ。之ヲ慣習上ノ公物使用権ト謂フヲ得ヘシ」（美濃部達吉「行政法提要上」一八九頁）。判例もこの旨をあきらかにしている。

【1】「溪谷ノ流水使用権ニ付テハ殊ニ井手ヲ設ケテ田用水若クハ飲用水等ニ用ヰタル場合ハ勿論公共物タル溪流其モノト雖モ一旦或者ニ於テ該流水ヲ専用スル慣習発生シタルトキハ其者ニ権利ヲ生シ他人ノ之ヲ侵スコトヲ容ササルハ古来我邦一般ニ認メラレタル原則ナリ」（大判明四二・一・二一民録一五・六）

【2】「多年河川ノ流水ヲ田地ニ灌漑シ水車ニ利用スル等ノ慣行アル時ハ其ノ使用者ニ流水使用ノ権利ヲ生スルコトハ我邦ノ慣習上認メ来リタル所ニシテ当院ニ於テモ従来屢ミ判例ヲ以テ之ヲ認容セリ」（大判明四五・五・六刑録一八・五六七）

【3】「村ノ用水堀ノ如キ公共ノ水路ヨリ流出スル水ハ一私人ノ所有地ヲ通過シテ流下スル場合ト雖下流ニ於テ多年慣行トシテ之ヲ田地ニ灌漑スル者アルトキハ其ノ使用者ニ流水使用ノ権利ヲ生スルコトハ我邦ノ慣習上認ムル所ナレハ其ノ水路中被告人ノ所有地ヲ通過スル部分ト雖モ之ヲ壅塞シテ流水ノ使用ヲ妨クルコトヲ得

サルハ民法第二百十九条ノ律意ニ照ラシ明瞭ナリ」(大判昭四・六・三刑集八・三〇二)

以上のごとく用水権については慣習にもとづいて特別使用権が成立することはうたがいないが、排水権についてはこれを否定した判例もある。

【4】「官有ノ堀ニ歳久シク排水ヲ為シタルコトヲ以テ排水者カ其ノ堀ニ対シ所有権ノ一部ナル使用権ヲ取得スルトノコトハ慣習法モ之ヲ認メサリシノミナラス民法上ニ於テモ亦之ヲ認メラレタル規定ナシ」(大判明三七・三・四民録一〇・二三五)

右の判例を不当に一般化すべきでないことは前述のとおりである。

また河川法の適用ないし準用ある河川においても、河川法施行規程(明二九・六・三勅令二三六号)第一一条により、河川法が適用ないし準用されるさい現存する慣行水利権は、その施行の日から三ヶ月以内に府県知事において、更に許可を受くべきことを特に命じないかぎりは、河川法による許可を受けたものとみなされ、河川法上の特別使用権たる地位を獲得する。しかし行政庁はその整理を行政指導方針としてきた。(註一)

(註一)　たとえば「旧慣ニ依リ河川ヨリ引水ヲ為スモノノ整理ニ関スル件」(大正一五年一月一五日発土第一号各地方長官宛土木局長依命通牒)

(二)　ところで慣習的流水利用が法律上の権利として成立するためには、単に事実上の慣習的利用にとどまるのみでは不十分で、その利用が権利として慣習法によつて承認されていなければならない。判例も前述河川法施行規定の解釈についてこの理を明言する。

【5】「施行規定第十一条第一項ニ所謂現存スルモノトハ単ニ事実上現存スルモノヲ指称シタルモノニ非ス

シテ許可若クハ慣行ニ依リ権利トシテ存在スルモノノミヲ指称シタルモノト解スルヲ相当トスル」（行判大一一・七・二〇行録三三・八一三）

どのような基準で慣習法上の権利の存否が認定されるかはあきらかにされていない。

【6】「用水権ヲ生スル慣習ノ如キハ相手方ニ其ノ慣習ニ依ルヘキ意思アルコトヲ要スル場合ニ非ス如何トナレハ慣習上用水権ヲ得ルハ多クハ先占的ニ其権利ヲ獲得スルモノナレハナリ」（大判明四二・一一・二六民録一五・一〇〇二）

特別使用権としての慣行水利権が成立するためには事実的な流水利用が長期にわたつて反復継続されることがもちろん必要であるが、それのみではかならずしも十分といいがたい。その水利用の正当性に対する社会的承認を獲得することが必要なのであり、この社会的承認が慣習を法的規範として成立せしめる。判例は、水利用が慣行上の権利であるためには、対立する他の当事者がその利用を承認した証拠がなければならないとするもののごとくである。大審院は明治一五年一一月二八日の判例で「被上告者カ上告者ノ廿年間間断ナク南瀬ノ流水ヲ引用シタル其慣行アルヲ認メタル証左」はないとして上告村の慣習上の権利を否定したが、その他左の判例も注目される。

【7】「然リ而シテ上告村ノ証拠書中樋口番人ノ事ヲ記載シ或ハ栄銀村百姓半兵衛ノ口供写ナルモノヲ記載シアルモ其樋口番人ノ項ハ該用水共有者ノ一方即チ被上告者ノ承認シタルモノニアラス……況ヤ右ノ口供ノ写ナルモノハ毫モ被上告村ノ認メタルモノニ非サルヲヤ故ニ之ヲ以テ被上告村ヘ対シ樋口ヲ塞止シタル慣習ナリト証明スヘキ具ト為スニ足ラス」（大審院明一四・一〇・三）。

いずれにしろ、慣行にもとづく権利の取得を主張しうるためには確実な挙証あることが必要とされるのであり、その認定は厳格なようである。

【8】「原判決理由ノ第一項ニハ……ト説明シ即チ本件ノ養水ニ付テハ厳格ナル慣行アル事実ヲ認メ而シテ上告人ハ其慣行ニ基キ権利ヲ取得シタル確実ナル挙証ナシトノ故ヲ以テ上告人ノ抗弁ヲ排斥シタルモノナレハ原判決ハ上告論旨ノ如ク地役ニ関スル民法ノ原則ヲ誤リタルモノト云フヲ得ス」（大判明三〇・三・一民録三・三・一）。

【9】「原告ニ於テ田地用水ノ為メ揖斐川ヲ堰留メ流水ヲ使用シ得ルハ古来ノ慣例ニシテ被告カ其ノ流心五間又ハ三間等ノ制限ヲ付シ全流堰留ヲ許可セサルハ原告ノ既得権ヲ害スルモノナリトノ趣ヲ主張スレトモ旧来揖斐川全流ヲ堰留メ得ルノ慣行アリシトハ其陳述ニ止リ挙証中其ノ事跡アリト認ムヘキモノナキヲ以テ既得ノ権利アリト謂フ可ラス」（行判明二八・三・一四行録一二・五五）

なおいかなる事実の存在が水利権成立の証拠として価値があるかについては、とくに水利施設物の設置、管理、補修等に対する費用負担の事実が注意されねばならない。

【10】「上告村ノ用水路ハ甲線ニシテ被上告村ハ乙線ナル一目瞭然ナリ又其乙線ナル大井手ノ諸入費ハ被上告村ニ於テ負担シタル事ハ上告者カ原裁判所ニ於テ自認スル所ナリ又此大井手ニ水ヲ来ス所ノ字天神白堰ノ費用ニ於ルモ被上告村等ニ於テ弁出シタル事ハ是亦上告者カ本院ニ向テ自認スル所ナリ而シテ上告村ハ絶テ右等ノ費用ヲ出シタル事アルニアラス……以上ノ事項ハ以テ右乙線即チ大井手ノ用水ハ上告村ノ用水ニアラサルコトヲ推測スルニ足ル」（大判明一一・一一・一四）

【11】「凡事物ノ何タルヲ問ハス又其公共ニ係ルト否トヲ論セス恩恵ニアラスシテ苟モ之レカ経費ヲ弁シ義務ヲ尽シタル者ハ従テ其ノ事物ノ目的ヨリ生スル権利ヲ受クルノ権アリ……本訴用水路ノ如キモ亦然リ故ニ之レカ経費ヲ支弁シタル者ハ常ニ該用水ヲ引用スルノ権利ヲ存ス」（大判明一六・四・一〇）

これらの先例に照らせば大審院はあきらかに費用負担等の行為をもつて水利権の根拠とする原則を

つとに採用していたようにおもわれる。しかしその後もこの原則を一貫して維持してきたとはいいがたい。ときにはこの原則に矛盾する判決もあらわれたのであり、若干の動揺が見られる。

【12】　「公流ノ水源地又ハ川筋ニ堀下若クハ修繕工事ヲ為シ其費用ヲ負担スル者ヲ以テ其流水ヲ専用スル権利ヲ有スル者トスルカ如キ法則若クハ慣習アルナキニ依リ原院ニ於テ上告人カ桂川ノ水源地又ハ川筋ニ其費用ヲ以テ工事ヲ為シタル事実アルモ公流タル桂川流水ノ使用権カ上告人等ニ専属スヘキ謂ハレナシト判定シタルハ其当ヲ得タルモノニシテ本論旨ハ其謂ハレナシ」（大判明四二・四・二民録一五・三二三）

また法例第二条によれば公序良俗に反する慣習は法源となりえないから、旧慣でも裁判所によって不当な慣習とみとめられれば慣行水利権の成立を見ないことはいうまでもない。

【13】　「抑用水ノ先取者カ通常引用者ニ対シ先取権ヲ行フヘキ場合ハ旱魃等ノ為メ用水欠乏シ双方ノ田地ヲ養フニ足ラサル時ニ在ルヘキモノニシテ此時ニ於テハ先取者充分其田地ヲ灌漑シタル上ニアラサレハ通常引用者ニ灌漑ヲ許ササルハ勿論ナリト雖モ用水カ双方ノ田地ヲ養フニ足ルヘキ分量アル時ニ於テハ通常引用者カ先取者ニ先チ又ハ同時ニ灌漑スルモ為メニ先取者ヲ害スル道理ナク此時ニ於テモ上告人主張ノ如ク先取者ノ田地ヲ灌漑シタル上ニアラサレハ通常引用者ニ灌漑ヲ許ササルモノトセハ為メニ養水ノ時期ヲ失ハシムル等徒ラニ人ニ害ヲ与フルニ至ル可キ道理ナレハ斯ノ如キ主張ハ決シテ許容スヘキモノニアラス」（大判明二八・一二・九民録一・五・三九）

【14】　「仮令本件ノ如キ習慣アリト雖モ其習慣ハ条理ニ適セサルモノナルヲ以テ之ニ服従ヲ要セサルニ付キ本件ノ争ヲ決スルニハ宜シク上告人等ノ本件ノ水ノ使用カ被上告人ニ対シ実害ヲ生スヘキヤ否ヤヲ判定セサルヘカラサルニ原院カ本件ノ争ヲ決スルニハ実害ノ有無ヲ問フモノニアラストシテ単ニ習慣ノミニ依リ判断ヲ与ヘタルハ法則ヲ不当ニ適用シタル違法アルモノトス」（大判明三一・一一・一八民録四・一〇・二四）

三　性　質

（一）　慣行水利権たる流水使用権の性質についてはふるくから争いがある。一般に旧行政裁判所の判例や公法学説においては公権論が通説であり、司法裁判所の判例や私法学説においては私権論が通説であった（公権説は美濃部達吉「行政法判例」三四頁以下その他、私権説は末弘厳太郎「債権各論」一〇二五頁以下、鳩山秀夫「債権法各論」八七一頁以下その他）。しかし、公権説をとる者もその権利の侵害に対してはその救済として民法所定の各種の手段をみとめ、司法裁判所に出訴しうることもみとめていたから、この区別の実益はそれほど大きいものでなかつた。行政裁判所を廃した現行憲法のもとでその実益はますます小さいものとなつている。理論的にいえば公権説は権利の形式に着目し、私権説は権利の内容に着目しているのであり、いずれにしろその一面的把握であることをまぬかれない。公水私水の区別についてのべたのと同様、流水使用権の性質についても、私権たる水利権が公共的規律をも同時にうけるという・公権私権の重畳性が指摘されるべきである。河川敷地の占用についても同じことがいえる。その私権説の代表としては次の判例がある。

【15】「行政処分ニ依リ免許セラレタル使用ノ権其物ノ性質如何ヲ審按スルニ右使用ノ権ハ行政処分ナル使用命令ノ趣旨ニ従ヒ其範囲内ニ於テ公用地ナル提防敷地ヲ自己ノ私用ニ供シ之ヲ使用シ得ル権利タルニ過キサルヲ以テ公権ニアラスシテ一種ノ私権ニ属スルコト多言ヲ要セサル所ナリ」（大判明三七・一二・五民録一〇・一五五一）

（二）　流水利用権を私権としてとらえた場合に、それがいかなる性質の私権であるかはかならずしもあきらかにされていない。敷地占用の特別使用権について一種の財産権であるとした判例がある。

【16】「河川法第三条及第四条第二項ニ依レハ河川敷地並提防ハ私権ノ目的ト為スコトヲ得ス従テ之ニ付キ

物権ヲ設定スルコトヲ得スト雖モ同法第一八条及第四条第二項ニ依レハ地方行政庁ノ許可ヲ受ケタル者ハ占用スルコトヲ得ヘキモノニシテ其ノ占用権カ物権ニ属セサルコトハ同法第三条及第四条第二項ノ規定ニ依リテ自ラ明ナリ而シテ債権ニ属セサルコトハ其占用権カ其ノ目的地ノ占用ヲ為サシムル行為ノ要求権ニ非スシテ之ヲ占用スルノ権利ナルコトニヨリテ明ナレハ其ノ占用権ハ物権ニモ属セス又債権ニモ属セサレトモ地方行政庁ノ許可ノ範囲内ニ於テ私益ノ為メ之ヲ占用使用スルコトヲ得ル権利ニシテ一種ノ財産権タル私法上ノ権利ニ属スルモノト為スヘキモノトス」（大判大一一・五・四民集一・二三五）

流水利用権を一箇の債権とする説は下級審においてまれにあるのみである。

【17】「用水権其モノハ我民法ノ規定上之ヲ物権ト認ムル能ハス故ニ田地所有者ニ於テ其行使ニ付他人ニ制限ヲ約スルモ之ヲ物権的ニ土地ノ負担ヲ約シタモノト認ムヘキニ非スシテ所有者タル資格ニ於テ債権的ニ不作為ノ義務ヲ負担シタルモノヲ認ムヘキモノトス」（東京控判大四・一一・一九、武井群嗣・安田正鷹「水に関する学説判例実例総覧」五六〇頁）

しかし他方において流水利用権を明瞭に物権と規定した判例もまたきわめて例外的に下級審にあるにすぎない。

【18】「往古ヨリ慣行ニ依ル引水権ナルモノハ之カ権利行使ノ上ニ付権利者ハ慣行ニ因リ種々ノ制限ニ遵フコトヲ要スルコトアルヘキモ一度該権利ヲ享有スルニ至ラハ爾後何人ニ対シテモ対抗シ得ヘキ所謂絶対権ノ一種ニシテ彼ノ契約又ハ其他ノ原因ヨリ発生スル債権ノ如ク特別人ニ対シテノミ特定ノ給付ヲ請求シ得ヘキ処ノ相対権ト異リ苟モ這般権利ノ存立ヲ争フ者アリ之カ為メニ右権利関係ニ危害ヲ生シ又ハ生セントスル虞アリテ其ノ存否ヲ確定スルニ付法律上ノ利益アル場合ハ広ク之等権利ノ存在ヲ争フモノニ対シテ権利ノ存在ヲ主張シ得ヘキモノトス」（名古屋地判大四・一一・一八、武井・安田「前掲」五五七―五五八頁）

多くの判例は、物権とも債権とも明言しないが、しかもなおその権利侵害に対しては直接第三者に対する妨害排除請求権等や不法行為の損害賠償請求権をみとめ、これを物権類似の権利として扱っているもののごとくである。

【19】「本件河川ノ如ク河川法ノ適用ヲ受ケサルモノニ付テハ専ラ其ノ間ニ成立シタル慣習ニ依リ利用関係ヲ規律セントスル趣意ナリト解スヘク沿岸田地所有者カ営造物主体ノ手ヲ経ルコトナク妨害者ニ対シ直接妨害ノ排除ヲ請求シ得ルコト明白ニシテ如斯直接ノ請求権ヲ有スル点ヨリ観レハ右慣習ハ私法関係ニシテ沿岸田地所有者ノ有スル引水権ハ私権タルノ性質ヲ有スルモノト推論スルヲ正当トス」（秋田地判大七・六・一八、武井・安田「前掲」五五九頁）。

【20】「河川ノ沿岸所有者ハ他人ノ権利ヲ害セサル範囲内ニ於テ田地ニ灌漑シ水車ニ利用スル等各自其水流ヲ使用スル一種ノ権利ヲ有スルコトハ慣習上之ヲ認メ来リタルトコロニシテ此ノ権利ヲ侵害セラレタル者ハ加害者ニ対シ損害ノ賠償又ハ妨害ノ排除ニ因リテ其救済ヲ求メ得ルモノトス」（大判明三八・一〇・一一民録一一・一三二六）。

【21】「然レトモ原判決ノ認ムル上告人被上告人等ノ平等分水権ハ田地ノ所有者カ田養ノ為メ河川ノ流水ヲ使用スルコトヲ得ル慣習上ノ権利ニシテ上告人被上告人間ニ於テハ各自ノ反別ニ応シテ平等ニ分水使用スヘキコトヲ認メタルニ過キス然レハ上告人被上告人等ハ上告人所有ノ流水ヲ被上告人ニ給付スヘキ債権関係ニ在ルモノト異リテ互ニ流水ヲ使用スル一種ノ権利ヲ有シ此ノ権利ヲ侵害シタル上告人ハ自已ノ給水スヘキ債務ヲ履行セサルモノニ非スシテ民法第七百九条ノ不法行為ヲ以テ論断スヘキモノナルヲ以テ原判決ハ不法行為ノ法則ヲ不当ニ適用シタルモノニアラス」（大判明三九・三・二三民録一二・四四五）。

判例が流水利用権に物権的効力を附与しながらも、これを明瞭に物権と規定しないのは、「農業用水権には完全なる独占権がないこと、登記其の他の公示方法の存せざること、及形式上法規の根拠なきこと、の三点に因る」（柳川「前掲」一四頁）といわれている。この点について左記の諸判例が注目される。

【22】「按スルニ本件溪水ノ如キハ古来我国ニ於テハ之ヲ個人ノ所有ニ帰属セシメタル例ナク只其沿岸ニ土地ヲ有シ若シクハ住所ヲ有スル人民等カ其流水ヲ共用スルヲ得ヘキヲ一般ノ慣習トス即チ各個人間ニ於テハ互ニ他人ノ権利ヲ害セサル限リハ之ヲ使用スル権利アルモノトス故ニ当院ニ於テモ斯ル流水使用ノ権利ハ他ノ物権上ノ使用権ト同視セス特種ノモノトシ其沿岸ノ人民等ハ他人ノ権利ヲ害セサル程度ニ於テ之ヲ使用シ得ルヲ通例トスヘキコトハ既ニ判例トシテ認ムル所ナリ」（大判明三三・二・二六民録六・二・九〇）。

【23】前述の【15】の判決は続いて述べている。

「私権中何種ノ権利ニ属スルモノナルヤヲ勘フルニ単ニ公用地ナル提防敷地ヲ自己私益ノ為メ使用スルコトヲ得ル権利ナルヲ以テ其財産権ニ属スルコト疑ヲ容レス而シテ財産権中何種ノ権利ニ属スルヤヲ按スルニ其地上権ニ属セサルコト上告論旨ノ如クナルモ其賃貸借ニモアラサルコト是レ亦疑ヲ容レス何トナレハ行政ノ処分ニ依リ発スル所ノ使用命令ナル者ハ一私人ニ対シテ提防敷地ノ使用ヲ許スニ止リ素ヨリ命令者自ラ提防敷地ノ使用及収益ヲ為サシムルコトヲ約シ其債務ヲ負担スル者ニアラサレハナリ然リ而シテ行政処分ニ依リ賦与セラレタル本件使用ノ権利ノ如キ権利ヲ以テ一ノ物権ナリト定メタル法規ナキカ故ニ本件使用ノ権ヲ以テ一ノ物権ナリトスルヲ得サルハ言ヲ俟タサル所ノミナラス前顕説明ノ如ク命令者自ラ債務ヲ負担スル者ニアラサルカ故ニ債権債務ノ法律関係ヲ生スル理ナシ左スレハ右使用ノ権ヲ以テ一ノ債権ナリトスルヲ得サルハ是亦言ヲ俟タサル所ナリ之ヲ要スルニ行政ノ処分ニ依リ賦与セラレタル本件使用ノ権ハ一ノ私権ニシテ而モ一種ノ財産権タルニ止マリ、之ヲ以テ一ノ物権又ハ債権ナリト謂フヲ得ス」（大判明三七・一二・五民録一〇・一五五一）。

このような判例の動向に対して積極的に物権説を肯定する学説もある。柳川説の根拠は、(イ)独占性ないし排他性は物権の性質により程度を異にするのが当然であり、所有権でさえ独占性、排他性は制限される、(ロ)公示方法の存否はかならずしも物権の成否に影響するものでない（たとえば入会権）(ハ)物権法定主義を明言した民法第一七五条にいわゆる法律のなかには法例第二条の慣習法を含まずとする判例通説の理論には、理論上実質上の根拠がない、等々の諸点である（柳川「前掲」一一四頁）。この柳川説が妥当であろう。おもうに慣行水利権は複雑な封建的慣行のうちに実在しており、厳密にいえば近代法的カテゴリーとしての物権あるいは債権のいずれにも属さない。現実の慣習としては、きわめて排他性の強いものから弱いものに至るまでさまざまの段階の権利が存在する。しかしその本質は入会権類似の総有的支配であり、流水に対する直接的排他的支配である。したがつてこれを近代法的カテゴリーで構成するとしたら、やはり物権たる性格をもつものとして理解する以外にない。この本質は所有権でなく、具体的用益権である。しかもその用益権は必要水量に対する用益権であり、絶対無制限な支配権ではない。しかしこのような権利の客体の量的制限は、水利権を物権として規定することを妨げるものではないであろう。必要水量に対する用益権であるという点について左の判例が注目される。

【24】「因テ按スルニ溪水其他湧水ノ流出スル河川ノ水流ヲ従来ノ慣習ニ従ヒ使用シ来リタル者ハ田地灌漑ノ為メナルト水車運転ノ為メナルトヲ問ハス各之ヲ利用スル権利ヲ有スルコトハ当院判例ノ存スル所ナリ而シテ上流ノ水流使用者ハ地勢上下流ノ使用者ニ対シテ優越ノ権利ヲ有スルヲ原則トスルモ其水流利用ノ範囲ハ其水流地ニ於テ各自ノ必要ヲ充タス程度ニ止マルコトヲ要シ特別ノ慣習又ハ下流使用者トノ間ニ特別ノ契約ノ存セサル限リハ上流使用者ノ為メニ水流ノ利用ニ関スル絶対ノ優越権ヲ認ムルコトヲ得ス随テ田地灌漑ノ為メ水流ヲ利用スル者ト雖モ他ニ田地灌漑ノ為メ又ハ水車運転ノ為メノ利用者アル場合ニ於テハ其権利ヲ害シテマテモ田地灌漑ノ必要以外ニ水流ヲ処分シ他人ヲシテ他ノ用途ニ新ニ之ヲ利用セシムル権能ヲ有スルモノニ非ス」（大判大五・一二・二 民録二二・二三四一）。

また登記については、慣行水利権において公示方法がどれだけ意味をもつかはうたがわしい。慣行的利用それ自体がひとつの公示方法であることはあきらかであるし、普通の私法的意味における商品流通や取引の対象となることはまずないからである。さらに慣習法上の物権をみとめることが物権法定主義に反するかについては、周知のとおり近時は、しだいに慣習法上の物権を認める解釈が有力になつている（我妻「物権法」二四頁、末弘「物権法」四一頁等）。もちろん物権法定主義は、民法施行前古来の慣例にもとづいて成立した幾他の複雑な封建的物権関係を一応整理統一することを目的としたものであるから、無原則的に古い慣習法の物権的性格を容認することはできないであろう（民法施行法三五条、三六条参照）。しかし社会に残存する封建的慣行とそれを支える社会的経済的条件を根本的に変革するという課題――その課題自体はきわめて重要な課題であることはうたがいないとしても――を提起するなら格別、その実態を前提とした法解釈論を構成するかぎりでは、その実態を論理的に反映する法技術として、これを物権的に構成することが必要であろうとおもわれる。

(三)　物権的効力をもつ流水利用権は、公水より要役地の便宜のために一定量の水を引用し、あるいはこれに排水するという点において、民法上の用（排）水地役権に類似の性質をもつ。この意味では流水利用権は、一種の慣行地役権と見ることができるのであり、用水地役権に関する民法の規定を準用することができる。(註二)ただし、地役権の附従性に関する民法第二八一条の規定については、後述のごとく流水利用権が土地所有権に附従するものでないことが注意されねばならない。また地役権の不可分性に関する民法第二八二条の規定については実際上あまり実益を見ないであろう。

また流水利用権は自然公物の利用をなす権利たることにおいて漁業権に類似し、漁業法の各規定の趣旨にしてこれに援用されるべきものが多い、とする見解がある（柳川「前掲」一五頁）。しかし、これに対して漁業権は漁業をなす行為権であり水面使用の権利でないから、公水を引用する公権たる慣行水利権と異る、という見解（建設省）もある。権利の性質から割りきつて、独断的にこう結論づけるべきではなく、漁業法の各法規を具体的に検討し、援用することの可否を決すべきである。将来の研究にゆだねられる。

さらに流水利用権は多くの場合において多数の人が共同で水を利用する権利であるが、かかる共同利用の形態は水利権の共有（準共有）関係と考えられるであろうか。判例はあるいはこれを共有なりとし、あるいは共有なる言葉をさけて不可分的権利と称してもいる。

【25】「依テ按スルニ上告人（控訴人原告）カ本訴ニ於テ求ムル確認ハ上告人カ訴外高橋銀次郎外十六名ト共ニ有スル用水専用権其物ニシテ其持分ニアラサルコトハ本件記録上明ナルトコロナリ然ラハ上告人ハ他ノ共有者即チ高橋銀次郎外十六名ト共ニ原告トナリテ本訴ヲ提起スヘキモノ（大正四年（オ）第千八十三号大正五年六月十三日言渡事件ノ判決参照）ナルニ拘ラス共有者ノ一部ナル上告人ノミ原告トナリテ提起シタル本訴中確認ノ請求ハ其理由ナキモノトス然レトモ共有権ニ妨害ヲ加フル者アル場合ニ於テハ各共有者ハ之カ排除ヲ求ムルコトヲ得ヘク共有者全員ヨリ之ヲ求ムルコトヲ要セサルモノトス蓋シ其妨害ノ排除ヲ求ムルハ保存行為ニ属スレハナリ而シテ其ノ妨害ノ排除ハ妨害者ノ全員ヲ相手方トシテ之ヲ求ムルコトヲ要セサルコト勿論ナリ」（大判大一〇・七・一八民録二七・一三九二）。

【26】後述、大判明三九・六・六民録一二・九三〇参照

【27】「案スルニ本訴係争堤池用水ノ配水地所ハ原告居村ノ地所及被告ノ居村ニ於ケル地所五十余町ニ跨リ共配水地所ノ所有主ハ被告居村ニ於テ被告ノ外百余名アル事ハ原被告間争ナキ所ナリ果シテ然ラハ本訴用水権確認ノ問題ハ前記被告居村配水地所ノ総テノ所有地ニ共通ナル不可分的権利ニ関スルモノナリ」（高松地判明三七・八・二四）

【28】「古来ノ慣行ニ依リ取得シタル水流ノ引用ニ関スル権利ノ体様ハ一ニ当該水流ノ使用ニ関スル慣行ノ如何ニ依リ定マルモノニシテ沿岸田地所有者全員ノ共有ニ属スルコトモアリ又然ラサルコトモアルヘシ沿岸田地所有者カ其ノ利害関係ヲ同フスレハトテ直ニ其ノ慣行ニヨリ取得スル権利ハ必ス共有ナリト推定スヘカラサルモノトス」（大判大一五・七・一 新聞二五七六・六）。

おもうに水利権は共有というような個人主義的所有権概念を前提とした共同利用の形態ではない。ひとつの水利団体を構成する共同体が他の水利団体と対立しあい連合しあつて流水にたいする支配権すなわち水利施設の管理権、流水処分権、配水統制権等をもち、個人は団体の一員たる資格においてその団体の支配に属する流水を使用収益しうる権能をもつ――このように共同体が管理処分の権能をもち、個人がその団体的秩序に服して経済的利用、使用収益権をもつという主体の重畳、すなわち共同体と個人とがともに権利主体としてあらわれるこのような共同利用形態は、共有というよりいわゆる総有であり、そのかぎりで、入会権類似の物権であるということができよう。そこで次に権利主体について述べる。

（註一）　とくに排水権の性質を考える場合には、地役権的要素が大きくなるであろう。たとえば自己の田地の排水を確保するために、しばしば上流部落民が下流部落民の田地を通ずる排水路を持ち、且つ水の流れをよくするために、下流部落の土地に立ち入り、排水路の水浚い等一定の管理行為をするのであり、下流部落民はそれを受認するという慣習的義務を負う場合がある。用水路は何といつても自分の土地の中にあるものであるが、排水路はこれに反して他人の土地の中になければならないことは当然なことである。したがつて排水権は、通常民法第二二〇条（相隣関係における余水排泄権）の権利よりはいつそう重い土地負担を低地（下流）の土地所有者に負わせるものである。この場合の地役権における「便益」（民法第二八〇条）とはいうまでもなく悪水排除という便益であり、その具体的内容は、承役地を通過する排水路の設置、その維持管理に必要な諸行為、その諸行為を実現するために必要な、承役地に対する立入り等を含むものである。承役地所有権は用益地の便益のための物的施設という土地負担を附随しているのである。さらに場合によつては、その地役権は、承役地所有者に対して一定の不作為義務（たとえば排水路において堰ポンプその他用水施設の設置の禁止、その他水の疎通を悪くする諸行為の禁止等）を命令する権利をも包含しているのである。このような内容を持つ排水地役権は、あるいは契約によつて、あるいは慣習によつて成立してきたのである。

二　流水利用権の主体

一　水利施設所有(管理)権と水利権

（一）通説判例は水利施設の所有者ないし管理者をもつて水利権の主体者とするもののごとくである。

【29】「町村大字カ県庁ノ許可ヲ得テ木樋ニ依ル用水路ヲ設置シタルトキハ該用水路ハ其所属地籍ノ如何ヲ問ハス又之ニ依リ便益ヲ受クル者ノ大字自体ナルト其住民ナルトヲ論セス大字ノ造営物トシテ町村長ノ管理ニ属スルモノトス従ツテ町村長カ同大字ヲ代表シ該水樋ニ依ル引水権確認ノ訴ヲ提起シタルハ適法ナリ」（要旨）

（大判大五・七・五民録二二・一三四五）。

【30】「町村ニ於テ特ニ水路ノ浚渫其ノ他諸般ノ修繕ヲ為シ自ラ之ヲ管理シテ其ノ住民ニ流水使用ノ便宜ヲ与ヘ来リタルニ於テハ町村ニ属スヘキモノナルヲ以テ流水ノ使用ノ便宜ヲ直接ニ享受スル者カ住民タルノ故ヲ以テ町村自身ハ該権利ヲ有セス個々ノ住民ニ於テ之ヲ有スト云フカ如キハ自然ノ流水ト混同スル議論ニシテ正当ナラス」（東京控判明三六・六・一八、柳川「前掲」四八頁）。

しかしながら反対説もある。柳川説は水利権自体とその実行方法に関する権利すなわち水利施設物についての権利とは混同されるべきではなく、分けて考えるべきであり、したがつて水利施設の所有者ないし管理者はかならずしも水利権の主体ではないとしている（柳川「前掲」）。おもうに、水利施設の管理権は水利権の最も重要な根拠となるものであつて、水利施設管理権と水利権とを概念的に区別することは混乱を生ぜしめる。水利施設の管理権者が原則として水利権の主体であることは多くの慣行の示すとおりである。その意味では柳川説より判例通説の方が妥当である。しかし他方において水利権の根拠たる水利施設管理権とは、実質的な意味における管理権を意味するのであつて法形式的意味における管理権を意味するものではないこと後述のとおりである。

（二）　なお注意すべきことは、水利施設の地盤所有者と水利権の主体とは全く別であるということである。水源地や用水路敷地を所有している者はかならずしも当然にその土地を流出する水に対して水利権をもつものではない。また逆に言えば、水源地や水路敷地が他人（村）の所有に帰しても、その土地を流出する水に対する水利権者の主体たる地位はおびやかされるものではない。判例もこの旨をあきらかにしている。

【31】　上告人は被上告人所有地内にある溜池から引水する慣行を持っていたが、原審は、「単ニ契約若クハ地役ノ設定存セサル以上ハ上告人ニ於テ引水スルノ権ナシ」と判旨した。大審院は原判決を破棄する。「原院ニ於テ……溜池ト田地ト其所有者ヲ異ニスル場合ニ在リテハ契約若クハ地役権ノ設定存スルニ非サレハ田地ノ所有者ハ溜池ノ水ヲ田地養用トシテ使用スルヲ得サルモノトシ上告人ノ本訴請求ヲ排斥シタルハ本論旨ノ如ク破棄ノ原因アル不法ノ判決タルヲ免レス」(大判明三九・四・四民録一二・五〇七)。

【32】　また官有地編入について

「明治七年太政官布告第百二十号ハ地所ノ名称区別ヲ改定シ租税ヲ賦課スルト否トヲ示シタル迄ニシテ其地所ニ関スル私権ノ得喪変更ヲ規定シタルモノニ非サルヲ以テ仮令私権ノ目的タル地所カ同布告ニ所謂官有地ノ或種ニ編入セラレタルニセヨ他ニ事由ナキ限リハ編入其事ニ因リ当然私権ノ消滅ヲ来スヘキニ非ス故ニ若シ上告人等カ本訴外濠ヨリ湧出スル水ヲ田地灌漑ノ為メ使用スル権利ヲ有シタルニ於テハ該外濠カ官有地第二種ニ編入セラレタルニセヨ其権利ノ当然消滅スヘキ謂レナシ」(大判大元・一二・一九民録一八・一〇六二)。

【33】　「他人ノ所有地ヨリ湧出スル流水ヲ永年自己ノ田地ニ灌漑スルノ慣行アルトキハ之ニ因リテ其田地所有者ニ流水使用権ヲ生シ水源地ノ所有者ト雖モ之ヲ侵スコトヲ得サルハ古来我邦ノ一般ニ認メラレタル慣習法ナリ」(大判大六・二・六民録二三・二〇二)。

しかしながら、公水について慣習法の成立をみとめた判例も、私有地の地下を浸潤する水についてはこれを私水とみなし、他人の水利権は地盤所有権者の絶対的支配権に服すべきであるとして、水利権者の地位を否定しているもののごとくである。

【34】　「依テ按スルニ地下ニ浸潤セル水ノ使用権ハ元来其土地所有権ニ附従シテ存スルモノナレハ其土地所

有者ハ自己ノ所有権行使上自由ニ其水ヲ使用シ得ルハ蓋シ自然ノ条理ナリトス既ニ土地所有者ニ此使用権アリトスレハ其ノ地下浸潤ノ水利ヲ隣地又ハ近傍地ノ所有者ニシテ年間利用シ来ル慣行アリトスルモ為ニ地役権ヲ生スルノ道理ナシ」（大判明二九・三・二七民録二・三・一一一）。

【35】「按スルニ土地ヨリ湧出シタル水カ其土地ニ浸潤シテ未タ溝渠其他ノ水流ニ流出セサル間ハ土地所有者ニ於テ自由ニ之ヲ使用スルコトヲ得ヘク其余水ヲ他人ニ与ヘサルモ他人ハ特約法律ノ規定又ハ慣習等ニ依リ之ヲ使用スル権利ヲ有セサル限リハ之ニ対シ何等異議ヲ述フルコト能ハサルモノトス即チ此場合ニ於ケル土地所有者ノ水ヲ使用スル権利ハ絶対ニ無制限ナリ然レトモ之ニ反シ土地所有者カ流水ヲ自己ノ土地ニ引用シタル場合ニ於テハ其使用権ハ右ノ如ク絶対ニ自由ナルモノニアラス上流ニ位スル土地所有者ハ流水ノ使用ニ関シ下流ノ土地所有者ノ利益ヲ保護スル為メ種々ナル制限ヲ受クルコトアルヲ免カレス」（大判大四・六・三民録二一・八八六）。

しかしながら右の見解は、今の時代から見れば所有権万能の思想にとらわれすぎているとの批判をまぬかれまい。土地の私所有権に制限が加えられるのと同様、地下浸潤水に対する権利の行使もまた絶対無制限ではありえない。右の例において、余水を与えないことが権利濫用となるうたがいも濃いであろう。ちなみに、若干問題は異るが地下から湧出る水に対する地盤所有者の強力な権限を認めた典型的な例として有名な次の判例がある。これもまた、現在の理念からいえば、いささか権利濫用のうたがいがあるといえようか。

【36】「Xは畑地内に井戸を掘り暗渠を設け、その井水を所有の田地に灌漑していた。YはA所有の附近の畑地を借受け、その畑地内に同様の設備を設けて周囲の土地に引水し、畑地を改良して水田にした。このためXの水田は灌漑水涸渇し廃田となつた。XはYの行為を権利濫用なりと主張して争つた。

「然ルトモ土地所有者カ其ノ所有地内ニ井ヲ穿掘シ之ヨリ湧出スル水ヲ必要ニ応シテ使用スルコトハ法令ノ制限セサルトコロナルヲ以テ、特ニ地方ノ慣習ニ背反セサル限リ、適当ノ範囲ニ於ケル其ノ権利ノ行使タルコトヲ失ハサルヘク、従ヒテ其ノ結果縦令他人カ同様ノ設備ニ依リ其ノ所有地内ニ於ケル井ヨリ受クル水利ニ影響ヲ及ホシ其ノ水量ヲ減少セシメタリトスルモ、其ノ他人ハ前記土地所有者ノ為ス水利ニ対シ之ヲ認容セサルヘカラサルモノトス。既ニ土地所有者ニシテ如上ノ権能ヲ有スル以上、同所有者ヨリ土地ヲ借受ケ之ヲ使用スル者ニモ亦原則トシテ同様ノ権能アリト云ハサルヲ得ス。蓋斯ル水ノ利用ハ特約ヲ以テ之ヲ禁止セサル限リ土地使用ノ範囲ニ属スルモノト云ヒ得ヘキヲ以テナリ」（大判昭四・六・一新聞三〇〇・一〇）。

二　流水利用権の主体としての水利団体

（一）　前述のごとく流水利用は多くの人がひとつの団体をつくり、その団体の支配管理のもとに引水利用をする形態である。この団体が水利施設を管理維持し対内的には団体を構成する個人への配水を統制し、対外的には他の水利団体と対立して契約、水利権処分、紛争等の主体として登場する。水利権はこのような水利団体に帰属するのである。この水利団体は同一水系ごとにつくられるのであるが、たとえば幹線水路にひとつの大きな団体がつくられ、さらにその下に各支派線水路ごとに小水利団体がつくられるという形で、水利権の主体たる水利団体が幾重にも重畳する場合もあり、きわめて複雑である。しかし大体において徳川時代には「村」がそのまま水利団体であつた場合が多い。しかし明治以降町村制の施行により徳川時代の「村」が町村の一部の区となつてから、旧村の持つていた水利権が法律上どうなつたかは争いがある。ここにおける問題は、水利施設の管理ないし所有主体と、水利権の主体とが実質的に分裂するに至るということである。なぜならば、水利権の現実の主体は依然として旧村——生活共同体としての村——であるにかかわらず、その施設物の法律上の管理権ないし所有権は、法形式的には行政組織としての村の支配に属することになるからである。こうして以前は一体をなしていた水利権と水利施設物所有権ないし管理権とが分裂するに至る。この場合、判例は、行政組織としての法人たる村がそれら施設物の管理主体であるという理由にもとづいて、行政村に水利権の主体たる地位をあたえようとしてきたもののごとくである。

【37】　「案スルニ凡ソ一ノ社団又ハ財団ヲシテ権利ノ主体タル法人タラシムルニハ町村制第二条ニ於テ町村ニ関シテ規定スルカ如ク法律ニ於テ其規定ナカルヘカラス而シテ町村制其他ノ我法律ニ於テ未タ町村内ノ部落ヲ以テ法人ト規定シタルモノアラス蓋シ一ノ社団又ハ財団カ或権利若クハ義務ヲ有スルコトアルノ一事ヲ以テ直チニ法人ナリト做スコトヲ得ス彼ノ相続人ノ曠欠スル相続財産ニシテ未タ何人ニ帰属スヘキヤヲ知ルコトヲ得サル時期ニアルモノノ如キモ亦此種ノ財団ニ属ス然ルニ原院カ本件ニ付一村内ノ大字カ財産上ノ事柄ニ関シテ権利義務ヲ有スル法人ノ資格ナシト説明シタルハ其当ヲ得タルモノニアラス然レトモ町村内ノ一部ニシテ別ニ其区域ヲ存シテ区ヲ為スモノカ特別ニ財産ヲ有スルコトヲ得ルハ町村制第百十四条ニ於テ明カニ規定スル所ナリ而シテ其区カ財産ヲ所有スルトキハ同条ノ規定ニ従ヒ郡参事会ハ町村会ノ意見ヲ聞キ条例ヲ発行シ其財産ニ関スル事務ノ為メ区会ヲ設クルコトヲ得ルモ其事務ノ管理ニ至テハ同制第百十五条ノ規定ニ従ヒ町村ノ行政ニ関スル規則ニ依リ常ニ町村長ニ属スルモノトス夫レ町村ノ行政ニ関スル規則ニ依リ財産ニ関スル事務ヲ管理スルモノタル以上ハ町村長ハ同制第六十八条第四号ニ準依シテ部落内ノ権利ヲ保護シ其所有ノ財産ヲ管理シ又同条第七号ニ準依シテ部落ヲ代表シ部落ノ名義ヲ以テ其訴訟ニ関スル事務等ヲ担任スル職務権限ヲ有スルヤ明カナリ」（大判明二九・一二・一〇民録二・一一・六五）。

右の事例において旧村が所有・管理していた施設物は当然に町村長の管理権に服すると考えられているのであるが、この「区が有する特別の財産」といわれる財産のなかには、施設物そのもののみならず、その使用の権利までも含むとする解釈が存する。したがつてこの解釈によれば、旧村の所有・管理下にあつた水利施設が当然に町村長の管理下に入るのみならず、その水利施設を利用して引水するところの引水権までもが、当然に町村長の権限に属することになり、水利権の主体は名実ともに旧村の手を離れ、町村に帰属することになる。

【38】　「原判決ハ上告人ニ於テ係争物ハ双方何レモ大字全体ノ物ニシテ其工事費ハ村民ニ於テ負担シ又明治二十五年洪水後旧工事ニ付村会ノ議決ヲ経テ地方税ノ補助ヲ受タル等町村制第百十四条ニ相当スル事迹明確ナルニヨリ該条並ニ第百十五条第六十八条ニ依リ処置スヘキモノト為シタルニアリテ養水使用権ノ如何ニ依リ判断シタルニアラサルヤ原判決自体ニ照シ明カナレハ原判決ハ養水ノ性質ヲ誤リタルモノニコレナク従テ上告人結論スル如キ不法アルモノニアラストス如何トナレハ養水使用権ノ田地所有者ニ属スヘキハ言ヲ俟タサル所ナルモ其養水ノ流過ニ必要ナル器具即樋管土手其他一切ノ工事ニ関スル費用ヲ部落全体ニ於テ之ヲ負担シタル形迹アル以上ハ町村制第百十四条ニ所謂区ノ営造物ニ該当スルヤ勿論ナレハ該条其他第百十五条第六十八条ノ支配ノ受クヘキコト当然ニシテ決シテ養水使用者ノ自由ニ任カスヘキモノニアラサレハナリ由是看之原裁判所カ前掲ノ理由ニヨリ上告人ノ訴ヲ棄却シタルハ相当ニシテ上告人論スル所ハ其理由ナシトス」「按スルニ原裁判ニ於テ係争養水ヲ指テ直ニ区ノ特有財産ト為シタルハ聊カ穏当ナラスト雖モ該養水ハ区民ノ共同工事ニヨリ流過スルモノニシテ自然ノ流水ニアラサルコト前第一点ニ説明スルカ如クナル以上其ノ水路ハ町村制第百十四条ニ所謂営造物ニ適当シ本件ハ之ヲ要スルニ右営造物ノ使用権利ヲ争フモノニ係リ結局同一ニ帰スルヲ以テ原判決カ不法トスヘキ限ニアラス如何トナレハ財産ト云ヒ営造物ト云ヒ等シク村長ノ管理ニ属スルモノナレハ本案

ノ権利上毫モ影響スヘキ事柄ニアラサレハナリ」（大判明三〇・六・二三民録三・六・七一）。

もつとも旧村に属していた水利施設管理権が町村制下の町村に移つたということは水利施設所有権が当然に町村に移つたということを意味しない。旧村は町村の一部たる区として独自の財産をなお持ちうるからである。このことは前述【37】の判決にもうかがわれる。

【39】「同法（町村制）第百十四条ニ町村内ノ一部落若クハ合併町村（第四条）ニシテ別ニ区域ヲ存シテ一区ヲ為スモノハ特別ニ財産ヲ所有シ得ルコトヲ規定セルニ依テ看ルモ町村合併後ニ於テモ旧町村ハ新設町村内ノ一部トシテ独立シテ財産ヲ所有スルヲ得ルコトヲ認メタル趣意ナルヤ明カナレハ町村ノ合併ニ際シ旧町村ハ依然自己ノ財産ヲ留保シ得ヘキモノナルコトヲ推知シ得ヘキノミナラス……」（大判大三・一二・五民録二〇・一〇五一）。

右に引用してきた諸判旨には疑問がある。町村制施行以後、旧村の水利施設管理権がまつたく法形式的に行政（町）村に移つたからといつて、そのことだけをもつてしては未だ当然に水利権の主体が旧村から行政村に移つたとはなしえない。旧村がひきつづき町村の一部たる区として水利施設物を所有し且つ実際にその管理行為をもしている場合には、町村制以降その法形式的管理権が町村に移つても、慣行水利権の現実の主体は依然として慣習上の水利団体であるところの大字、区等であると解すべきである。けだし、旧村が水利団体であつたということは、徳川時代において領主の年貢収取の基礎が旧村にあつたという封建社会に固有の歴史的性格に由来するのであり、公私法分化の体系を持つ近代法のもとにおいては、行政組織の一部たる区という団体と、水利受益者（水利権者）の集団である水利団体とが分離すべきであるのは当然であり、この分離にさいして、水利施設物の支配管理権が後者の団体に帰属すべきものであることはまた自明のことである。区と水利団体の分離については学説にもこれを明らかにするものがある。すなわち「用水団体と部落とは観念上異るものであることを指摘したい。自給自足の時代に於ては農村部落は全部農民に依り構成せられたとも謂い得るであろうが（此の場合には部落と用水団体とは事実上一致する）社会の進展に伴い、部落内に農民でない者を生じて来ると、之等の者即灌漑用水を必要としない部落民をも含む部落を以て用水団体と做し用水権は斯かる部落民全体の総有に属するものと見る事の不当なるは直ちに了解せられるであろう」（柳川「前掲」二一―二二頁）と。筆者が調査した事例にもこの二つの組織の分離が明確にされてこなかつたために矛盾を生じている例はかず少くない。極端なところでは、部落のなかで非農家が過半数を占め、そのため区長には非農家がえらばれているが、水利受益者でもなく水利のことなどまつたく分らない区長（現在では、区政の廃止に伴い、さまざまの名で呼ばれている）が水利施設の管理権を持ち、紛争や契約の現実の主体として登場してくる、という奇妙な現象さえ呈しているのである。したがつて、現在でも数多く見出される部落（大字）単位の水利施設物支配について、この水利施設物を自治法のいわゆる市町村の一部が所有する財産ないし営造物とみなし、「市町村並びに特別市及び特別区の一部で財産を有し若しくは営造物を設けているもの……があるときは、その財産又は営造物の管理及び処分については、この法律中地方公共団体の財産又は営造物の管理及び処分に関する規定による」（地方自治法二九四条一項）との規定をこれに適用するのは妥当でないであろう。

（二）　ところで地方慣習上の水利団体のうち大きいものは明治以降の法制によつて普通水利組合、

耕地整理組合等として組織され、独立した法人組織になつた。現在では土地改良法によりこれらの組合は解散して土地改良区となつている。土地改良区の設立によつて旧水利団体が完全に消滅したところでは、水利権の主体が法人たるこれらの土地改良区に移つたことはうたがいない。しかし土地改良区が設立されても、それは多くの場合幹線水路を支配管理するだけである。支派線水路に至つては旧慣どおり旧水利団体が権利主体として管理しているところも多い。(註一)いわんや土地改良区がまつたく設立されていないところでは、現在でももちろんこれらの旧水利団体が完全に水利施設物を支配管理している。したがつてこれらのところでは、やはり慣習上の水利団体が水利権の主体となつているのである。

この水利団体の法律的性格は明瞭でない。普通に申し合わせの任意組合であるともいわれているが、その社会的実態は、民法の「組合」(六六七条以下)とは異るようである。むしろその実態はしばしば大字を中心とする「総有的団体」である。しかし各水系、各水路ごとに水利団体がおかれるから、大字のさらに下部団体が水利団体となることもあり、それらのなかには民法の「組合」に類似した性格をもつものもあるであろう。あるいは団体の個人に対する高度の統制力、組織力に着目すれば、それは一種の「社団」型の団体であり、したがつていわゆる「権利能力なき社団」として理解するのが妥当であるという場合も存するようにおもわれる。要するにこの水利団体はその実態が多種多様であるからその法律的性格も一律にはこれを決定しがたい。慎重に実態を調査してきめるべきである。なお、水利団体たる区に対し法律上の構成を組合類似のものとしながら水利団体たる実質をも認識しようとする左の判例が注目される。

【40】「五十余年前ヨリ……住民一同ハ水利土木ニ関シ共同ノ利益ヲ図ル為メ法人ニ非サル私法上ノ集団ヲ組織シ各自費用ヲ分担シ毎年区長ヲ選挙シ之ニ委任シテ其ノ名ニ於テ右事業ニ関スル訴訟其ノ他一切ノ法律行為ヲ為サシメ来リタルモノトス斯ノ如キ場合ニハ其ノ集団ノ一員タルヤ否ヤハ同区ノ住民タル資格ノ得喪ニ伴フモノナルカ故ニ其ノ集団ハ民法上ノ組合ニ非スト雖之ニ類似スルヲ以テ組合ノ規定ヲ之ニ準用スヘキコトハ既ニ当院ノ判例トスル所ナリ（大正五年八月二十二日大判参照）」（大判昭七・七・二一新聞三四五四・一一）。

（註一）　だからこの場合権利主体たる水利団体は幾重にも重なつて存在することになる。たとえば、ひとつの幹線水路を中心としてひとつの土地改良区があり、この幹線水路から三本の支派線水路が出て、そのそれぞれが部落（大字）管理になつているという場合には、土地改良区という一つの大きな水利団体の下部に三つの、より小さな水利団体が存在していることになる。さらにその部落の中にいくつかのもつと小さな水利団体が含まれていることもまれではない。

三　流水利用権の主体としての個人

（一）　流水利用権の主体が水利団体であるといつても、このことは団体を構成する各個人もまた権利主体であることを否定するものではない。もつとも判例のなかには個人の権利主体たる地位を否定するかのごとき見解もなくはない。

【41】「水若クハ水路ノ使用ナル事柄ハ格別ノ場合ヲ除クノ外之カ権利ヲ去就常ナキ個人ニ専属スルモノトセンヨリハ之ヲ一定不動ナル部落ニ属スルモノトスルハ其ノ性質ニ適スル観念ナリト謂ハサルヘカラス」（宮城控判明三

〇・七・一〇民録四・五・九〇参照)。

しかし右の見解とはまつたく逆に、水利団体の権利主体たる地位を否定し、団体を構成する個人のみに権利主体たる地位をあたえる判例もまた下級審には多く存在する。

【42】 「水路ノ維持修繕等ノ費用ハ部落団体ニ於テ之ヲ支弁シ村長ニ於テ管理スルモノトスルモ其ノ流水ノ使用権ハ直接ニ水ヲ使用スル個人ニ属ス」(松山地判大七・七、同旨秋田地判大曲支部、いずれも柳川「前掲」四五頁)。

【43】 「水利権ハ慣習ニ依リテ認メラルル土地所有権ニ従属スル一ノ私権ニシテ此ノ権利ハ普通水利組合ナル公法人カ設立セラレ土地カ当該法人ノ区域ニ包含セラレタル一事ヲ以テ其ノ組合タル法人ニ移転スルモノニ非ス其ノ移転ヲ認ムルニハ法律若クハ契約ノ存在ヲ必要トス然ルニ我カ水利組合法ハ素ヨリ其ノ他ノ法律ニ於テモ土地所有者ノ水利権カ当然ニ水利組合ニ移転スルコトヲ認ムルニ足ル法文ナク又右私権ノ移転ヲ認ムヘキ組合ノ規約若クハ組合ト各個人間ノ契約ニ付テハ被告ノ立証セサルトコロナルカ故ニ原告等ハ原田井水掛ニ於ケル土地所有者トシテ各自ニ水利権ヲ有スルモノト認ムルヲ相当トス」(神戸区判大一〇・三・三一新聞一八七一・一九)。

大審院の判決にはこのようにはつきりと個人のみに水利権があることを宣言した例は見出されない。ただし自然の水路の流水についてのみ、この理を明らかにする。

【44】 「按スルニ上告人カ云フ如ク飲用水ハ有形ノ人ノミ之ヲ必要トシ田用水ハ土地ヲ有スル者ニ於テ其用ヲ見ルモノナレハ村又ハ区ノ如キ法人ノ費用ヲ以テ或ル水路ヲ築造シ之ヲ維持シテ部内一般ノ飲料又ハ田用水ニ便スル如キ格別ノ場ニ在リテハ其水路即チ営造物ハ個人ニ属スヘカラスト云フコトヲ得ヘキモ本件ノ如キ普通ノ場合即チ自然ノ水路ヲ流下スル天然水ノ使用ニ至リテハ本来個人ノ権利ニ属スヘカラサルノ理ナシ換言セハ直接ニ水ノ必要ヲ感スルモノハ常ニ個人ニシテ之ヲ使用スルノ権利ハ性質上個人ニ属スルモノナルカ故ニ其

権利ノ消長ニ関スル訴訟ハ個人カ主体トナリ之ヲ提出スルハ固ヨリ当然ノ事ニシテ部落団体ノ代表者タル村長ニ於テ干与スヘキ限リニ在ラス」（大判明三一・五・二七民録四・五・八八）。

右のように、流水利用権の権利主体たる地位を、団体か個人かのいずれか一方にのみ与える見解は、いずれも流水使用権の社会的実態や本質を見失つた見解であるといえよう。入会権と同じように水利権においても、水利施設物の支配管理権は団体に帰属し、その団体の統制のもとで現実に水を引き且つこれを利用する権限は団体を構成する各個人に帰属するという・権利主体の重畳があらためて確認されねばなるまい。普通水利組合においてこの理を認めた左の判例は注目される。

【45】「蓋水利組合法ノ規定ニ依レハ普通水利組合ハ灌漑排水ニ関スル事業ノ為設置セラレ組合事業ノ為利益ヲ受クル土地ヲ以テ区域トシ其区域内土地所有者ヲ組合員トシ之ニ対シテ灌漑排水ノ利益ヲ供与スルヲ以テ其ノ権義ト為スモノナルコト原判旨ノ如クナル以上組合員ノ享受スル灌漑排水ノ権利利益ハ正ニ所属組合ノ権利ニ由来スルコト一点ノ疑ナク即組合員ハ組合ヲ離レ独立シテ単独ニ其ノ用水権ヲ固有スヘキニアラサル所以ノ理ヲ察シ得テ余リアレハナリ……」「然レトモ被上告人等カ富柳堰分水口ニ流入スル水ヲ同堰ヲ経テ其ノ主張ノ如キ各所有田地ニ引用灌漑シ得ヘキ古来ノ慣行ニ依ル用水権ヲ有シタリトセハ其ノ後富柳堰普通水利組合設置セラレ被上告人等カ其ノ組合員ト為リ本訴ニ於テ主張スル各所有田地カ組合区域ニ属シタリトスルモ此ノ事実ノミニ依リ被上告人等ノ右用水権ハ直ニ消滅シタリト為スヘカラス普通水利組合ハ灌漑排水ニ関スル事業ノ為設置セラルル公法人ニシテ其ノ事業タル灌漑ノ行為ハ即行政行為タルヘシト雖之カ為ニ組合区域内ノ各田地ニ引水灌漑スル一切ノ行為ハ総テ組合ノ行政行為ニ属シ田地所有者タル各組合員ニ於テ為シ得サルモノト為スヘカラス即水利組合ノ設置アルモ組合ノ行為ニ牴触セサル範囲ニ於テ各組合員カ自己ノ行為ニ依リ組合ノ管

理ニ属シ又ハ属セサル流水ヲ組合区域内ノ所有土地ニ引水灌漑シ得ヘキヤ勿論ニシテ之ニ付古来ノ慣行ニ依ル用水権ヲ有スルヲ妨クルモノニ非ス」（大判昭四・五・八民集八・四五八）。

なお右の事件の原審たる宮城控訴院においては、

「組合員ハ只組合ノ規約ニ従ツテ用水権ヲ行使シ一ノ制限ニ服スルモノト認ムルヲ相当トス如斯スルモ組合ハ組合員ニ対シ水流ヲ分配シテ之ヲ使用セシムルノ権利義務ヲ有シ組合員ハ之カ分配ヲ受ケテ使用スル権利ヲ有スルモノナルヲ以テ同一ノ物体ニ付権利ノ主体カ二以上併存スルモノトスル非難ハ当ラス」と述べている。

この例において、水利権は組合と個人との両者に帰属することが明白に認められている。しかしここでは組合と個人との関係は、総有的団体におけるそれのように、権利が両者に共同に帰属するというよりは、両者がそれぞれ独立の権利主体として、あい異る内容——一方は管理支配権、他方は経済的利用権——の権利を持つという関係として構成されている。これはいわば、一方において組合の総有的性格という実態を認めつつ、他方において権利の重畳性を否定する近代法的解釈をとりいれたところの妥協的構成にほかならない。

学説もこれを支持する。たとえば、「公共団体自身が用水権の主体であることを認めるにしてもそれは其の団体員たる各個人が用水権を有することを否定する趣旨ではない公共団体は団体員の公共の利益の為に公水を管理維持する権利を有し団体員各個人は此の管理権に基き各自一定の目的の為に之を使用する権利を享有するもので即団体員各個人も同時に用水権の主体たるものである」（美濃部達吉「慣習法上の公水使用権」法協五一・八）。「用水権の総有の場合に於ては、既に屢〻述べた様に之等利用者各個人の固有権としては、同大字等の組織せる綜合的団体の構成員として、水の経済的意味に於ける利用権を有するに止り、其の管理的な権能は構成員全体である同団体に属するのであるから、此の場合に於ては水の需要者たる構成員個人も、管理者たる団体も共に用水権の主体であると見て双方共各自の権限に付、夫々用水訴訟の主体たる地位を認めねばならないであらう」（柳川「前掲」五一頁）。

（二）　問題は、この場合水利団体の構成員として水利権の主体たる地位を与えられるものは何人であるか、という点にある。とくに農業用水について争われる。判例通説は、水利権の主体たりうるものはすなわち耕地所有権者であるとし、賃借小作人等の直接的耕作者は土地賃借権の効果として水利の便をあたえられるにすぎず、したがつて同人等は水利権の主体にはならないという見解をとつてきた。

【46】「流水使用権ハ其ノ流水ノ使用ヲ必要トスル田地ノ所有者カ有スル権利ニシテ其ノ田地ノ所有権ト共ニ他ニ移転シ得ヘキモノトス」（大判大六・二・六民録新聞一二四九）。

【47】「土地ノ灌漑ニ関スル引水権ハ引水灌漑ノ事実ニ因リ慣習ニ依リテ認メラルル土地所有権ニ従属スル一ノ私権ナレハ……」（神戸区判大一〇・三・三一、武井・安田「前掲」五五九頁）。

【48】「用水権は水田灌漑の為めの水の支配権なるを以て、水田の所有権に附従し其存在を有するものと認むること其目的に適合するが故に、所有権と分離して独立存在すること能はざるは勿論なりと雖も、各随時の所有者は所有権を取得すると同時に之を原始的に取得するものとす」（東京控判大四・一一・一九新聞一一二六）。

右の諸判旨は、流水利用権が土地所有権に従属ないし附属した権利であり、したがつて土地所有権と共に当然移転されるべき権利であることを明らかにしている。このような解釈のなかには、流水利用権を民法上の用水地役権に類似なものとしてとらえる考え方がふくまれているであろう。ところで他の判例中には、一見したところ水利権の主体を現実の用水利用者に帰属せしめているようにおもわれるものもある。

【49】「村ノ用水堀ノ如キ公共ノ水路ヨリ流出スル水ハ一私人ノ所有地ヲ通過シテ流下スル場合ト雖モ下流ニ於テ多年慣行トシテ之ヲ田地ニ灌漑スルモノアルトキハ其ノ使用者ニ流水使用ノ権利ヲ生スルコトハ我邦ノ慣習上認ムルトコロ……」（大判昭四・六・三刑集八・三〇二）。

【50】「水路ノ維持修繕等ノ費用ハ部落団体ニ於テ之ヲ支弁シ村長ニ於テ之ヲ管理スルモノトスルモ其ノ流水ノ使用権ハ直接ニ水ヲ使用スル個人ニ属スルヲ以テ……」（秋田地判明三六・七、武井・安田「前掲」五四七頁）。

右の判決等においては用水の現実の利用者が流水利用権をもつているかのように扱われている。しかしこの場合、これらの判例が、水利権は土地所有権に従属するという通説の例外となる判例であるのかどうかは明らかでない。むしろ消極的に解せられるべきであろう。右の判例は、用水利用者が同時に土地所有者であるという事実関係を前提にしていると推測される。だから用水利用者と土地所有者とが分離している場合にも用水利用者に水利権をあたえるという意味ではなかつたようにおもわれる。この理を典型的に示した判例は次のとおりである。

【51】「水田灌漑ノ為メニ存スル用水権ナルモノハ水田ノ所有権ニ附随シ其所有権者ニ属スルモノニシテ水田ノ賃借権ニ附随シテ賃借権者ニ属スルモノニアラス従ツテ水田ノ賃借権ヲ有スルニ過キサルモノハ該水田ノ為メニ存スル用水権ヲ有スルモノニアラス又田地ノ賃借人ハ賃借田地ヲ占有スレトモ田地ノ占有権ノ存否ハ所有権ニ附随スル用水権ノ存否ニ関係ナキノミナラス賃借人ハ所有権者ニ代リテ占有ヲ為スニ止マリ自己固有ノ

占有権ヲ有スルモノニアラサルコト明白ナリ」（上田区判大五・二、武井・安田「前掲」五四七頁）。

学説にも同旨のものがある。たとえば「他人の土地を借受けて、これに必要なる用水を引用しているような場合には、用水権が土地所有者にあるか、或は土地の賃借人にあるかの点について疑問を生ずるが、用水権は土地に附随する権利であるから、土地の賃借人は、土地と共に用水権をも併せて借受けているもので、用水権は、土地所有者にあるものと認めねばならぬ。これよりも更に困難なるは、土地の賃借人が新に、用水権を得て借受けている従来の畑地を水田になした場合である。しかし、この場合に於ても用水権は土地所有者にあると思う。ただし土地の賃借人が、これを返還する場合には、原地目の畑地に変換するというような特別の約束を有するときは、用水権は土地の賃借人にあると思う」（安田正鷹「水利権」四三頁）。もつともこの点については「用水団体の構成員即水の経済的意味に於けるのみの利用権の主体は必ずしも水掛土地所有者ではなく、小作人等現実の土地利用者である場合も多い事に付て前述した通りである。従つて用水権の主体は土地所有者であるとの原則は、質的に完備した用水権の主体である場合、例えば用水権の単独有の如き場合を対照とするときに於て、主として適用せらるべきものではないかと思う」（柳川「前掲」四三頁）という見解もあるが、一般に判例通説で認められている解釈はかならずしも用水権の単独有の場合についてのみ限定されているわけではない。

ところで水利権が土地所有権に従属するという判例通説のこのような見解は、水利団体が法人組織となつている場合には、成文法的基礎によつても支えられてきた。たとえば普通水利組合の場合、水利組合法によつて組合員は土地所有者に限定され、組合員が水利権者であつたから、結局土地所有者に水利権が附与される結果になつたのである。したがつて非組合員である耕作者が流水使用権を持たないとする判決もまれではなかつた。

【52】「原告ハ明治二十七年二月十三日ノ三田用水内堀普通水利組合ノ議決ニ依リ用水使用権ヲ侵害セラレタリト云フト雖モ原告ハ内堀組合員ニアラサレハ坂本分水口ノ用水ヲ使用スルノ権利ナキノミナラス内堀会ノ決議ヲ以テ特ニ用水使用権ヲ与ヘラレタル者ニアラサレハ其議決ニヨリ侵害セラルヘキ使用権アリト云フヲ得ス」（行判明二九・六・一九行録一六・一一七）。

【53】「水利組合ニ属スル水田八十六町七反九畝二十一歩ニ止リ其費用ノ如キモ𤱈十六町七反九畝二十一歩ニ対シ賦課シ来リタルモノニシテ原告ノ所有地ハ其区域外ニアルモノナレハ原告ハ三𤱈用水水利組合員タル権利ヲ有セサルニ依リ之ヲ使用スルヲ得サルモノトス」（行判明三〇・四・三〇行録二〇・八）。

このように水利権の主体を水利組合員＝土地所有者に求める解釈は、これら土地所有者のみが水利費を支出しているという点にその論拠を持つているのである。しかし戦前の地主小作制の実態からいえば、地主の支払う水利費は実は小作人の地主に対して支払う高額の小作料の中に含まれていたと見られるのであり、そのかぎりでは実際に水利費を負担していたのは耕作者であると解する方法が実情に即した解釈ではなかつたかとおもう。したがつて私には戦前から水利権は土地耕作権に附従する権利であつたと解するのが正しいようにおもわれる。（註一）そのうえ耕作者大衆は村の無償の労働という形で水利施設の維持管理に当つてきたのでもある。だから水利権が土地所有権に附従するという解釈はひとつの観念論であつたともいえる。とくに戦後、憲法が変り、農地改革が行われた現在においても、水利権をもつて土地所有権に従属する権利であるとする解釈が通用しうるかどうかは、ますますうたがわしいものとなつている。戦後の変化のなかであたらしい判決が出されることが期待されている。

(註一)　ちなみに第一次大戦後の農業水利法案はその第一条において「地上権永小作権土地賃借権ヲ有スル者ニシテ現ニ用水又ハ排水ヲ行フ者ハ農業水利権者又ハ農業水利組合ノ組合員ト為ルコトヲ得、此ノ場合ニハ土地所有権者又ハ賃貸人ハ農業水利権者又ハ農業水利組合ノ組合員トナルコトヲ得ス」と規定したものであつたが、ついに流産してしまつた。その後現在に至るまで、現行の土地改良法を含めて、水利権を土地所有権のくびきから解放するような立法排置はまだとられていない。

四　流水利用権の内容、効力

前述のごとく流水利用権は必要水量に対する用益権であるが、その権利の具体的内容や効力に至つては慣習により様々であり、一律にこれをきめがたい。しかし権利の態様を一応整理して類型づければ次のとおりであろう。

一　余水利用権

(一)　下流の水利用者が上流の水利用者の余水を利用しうる場合を余水利用権という。上流水利権者の余水ないし悪水を事実上利用するという単にそれだけの関係にとどまる場合もあるし、さらに上流水利權者(余水供給者)の明示または黙示の承諾をえて余水利用をしている場合もある。また余水利用者が水の対価として若干の費用(金銭または米等)その他一定の義務を負担するという場合もある。その体様の異るのに応じて余水利用権の効力も異るが、一般的にいつて「貰水」「受水」といわれるように、余水利用者と余水供給者との関係は懇請と恩恵的給付の関係であり、対等な権利義務関係ではない。したがつて、余水利用者は文字どおり余水がある場合にかぎつてその利用をなしうるのであり、水不足で余水がない場合などにはいかなる請求権をも持つものではない。すなわち余水利用者は一定量の水に対し上流権利者に対抗しうるいかなる支配権をも持つものでないから、その物権的効力は弱いものである。この理をあきらかにした判例も若干ある。

【54】「池水ハ先ツ控訴人ヘ引キ残余アレハ被控訴村ニ流下セシムルトノ言ハ残余アレハ灌漑セシメ残余ナケレハ灌漑セシメスト云フノ意味ニ帰着スルモノニシテ即チ被上告村ハ池水ヲ使用スルノ権利ナシトノ謂ヒニ外ナラサレハ原裁判所ハ言ヲ換ヘ（池水ハ被控訴村毫モ之ヲ使用スルノ権利ナシト主張シ云云）ト説明シタレハトテ事実ヲ不当ニ確定シタルモノト云フヲ得ス」（大判明二九・四・二〇民録二・四・七八）。

【55】東京控判大四・一一・一九の判決においては、上井十六箇所の分水について上流よりこれを流下するのは何ら上井堰関係人の義務ではなく恩恵的なものであること、すなわち上井十六箇所は決して法律上拘束力ある分水を為すの義務を負担しているものではないこと、したがつて上流より流下しなくても下流余水使用者の側からはいかんともすることができないものであること、等々を確認している。

(二)　しかしながら余水利用者は他方において余水があるのに上流水利権者がその流下を拒むことに対しては、その流下を請求する権利があるものとされている。だから余水がある限度においては、余水利用者の側に一種の請求権が発生しまた上流水利権者の側に余水分与義務が発生するものと解されている。上流水利権者がこれを拒むことは、一種の権利濫用とみなされるであろう。

【56】「因テ按スルニ渓水其他湧水ノ流出スル河川ノ水流ヲ従来ノ慣習ニ従ヒ使用シ来リタル者ハ田地灌漑

ノ為メナルト水車運転ノ為メナルトヲ問ハス各之ヲ利用スル権利ヲ有スルコトハ当院判例ノ存スル所ナリ而シテ上流ノ水流使用者ハ地勢上下流ノ使用者ニ対シテ優越ノ権利ヲ有スルヲ原則トスルモ其水流利用ノ範囲ハ其水流地ニ於テ各自ノ必要ヲ充タス程度ニ止マルコトヲ要シ特別ノ慣習又ハ下流使用者トノ間ニ特別ノ契約ノ存セサル限リハ上流使用者ノ為メニ水流ノ利用ニ関スル絶対ノ優越権ヲ認ムルコトヲ得ス随テ田地灌漑ノ為メ水流ヲ利用スル者ト雖モ他ニ田地灌漑ノ為メ又ハ水車運転ノ為メノ利用者アル場合ニ於テハ其権利ヲ害シテマテモ田地灌漑ノ必要以外ニ水流ヲ処分シ他人ヲシテ他ノ用途ニ新ニ之ヲ利用セシムル権能ヲ有スルモノニ非ス」（大判大五・一二・二 民録二二・二三四一）。

【57】「上告人ハ唯論所(イ)(ロ)及(ハ)ノ田地ニ灌漑シ得ルニ止マリ其ノ灌漑ニ供シタル余水ヲ「ホース」等ノ設備ニ依リ右(イ)(ロ)及(ハ)ノ土地ニ非サル他ノ田地ニ引水シテ灌漑ノ用ニ供スルカ如キハ失当ニシテ其ノ義務違背行為ニ属スト認ムヘキコト勿論ナルカユエニ……」（大判昭九・一〇・二三 柳川「前掲」六一頁）。

したがつてまた、上流水利権者の余水をいくら使つても、それが余水であるかぎりは、その水利権を侵害したことには絶対にならない。

【58】「本件ノ如キ田家用ノ堰水ハ其ノ水利組合ニ於テ之レカ所有権ヲ有スルニ非ス唯其ノ水ニ付キ権利ヲ有スルハ之レヲ使用スルニ止ルモノニシテ其ノ使用ハ本件水利組合員ノ田家ニ要スル丈ケノ水ヲ使用スルニ過キサレハ被上告人カ使用シタル余水ニシテ本件ノ堰ノ下流ニ流下スルモノマテ権利ヲ有スルニ非サルヲ以テ上告人等ノ使用カ実際被上告人ノ使用ヲ害セサルニ於テハ之カ為メ毫モ被上告人ノ権利ヲ害シタルモノト云フヲ得ス（大判明三一・一一・一八 民録四・一〇・二四）。

（三）　右の（二）でのべたことを別な面からいうならば、余水利用者の権利は、あたらしく引水を開始しようとする第三者の権利に優先するのであり、余水利用者はその利用権をもつて第三者に対抗しうると解すべきである。そしてこの既得の権利の侵害に対して、債権的賠償請求権のみならず、物権的妨害排除請求権をも持つという点において、余水利用権もまたこの点では一種の物権的性格を持つ権利であるといえよう。

【59】 本件において、上告人は上流水流使用者渡辺曾平治との契約により、あたらしく余水の供給を受けることになつたのであるが、このため下流において従前からその余水を利用していた小倉井堰の用水者の利益が害されるに至つた。

原審が「右上吐合井路ノ流水ノ使用ハ同井路ノ下流ニ在ル小倉井堰ノ用水者ノ水利権ニ直接影響アルヲ以テ云云曾平治カ前示ノ如ク上吐合井路ノ余水全部ヲ控訴人等ニ給与シタルハ之其下流小倉井堰ニヨリテ従来其余水ヲ使用シ居タル水利権者ノ権利ヲ無視シ云云（中略）被控訴人曾平治ハ上吐井堰ニヨリテ自己所有ノ前記三筆ノ田地灌漑ノ為メ引用シタル流水ニシテ灌漑ノ用ヲ了ヘタル余水ニ付テハ之ヲ境川ノ本流ニ還流セシメテ被控訴人等ノ使用ニ供スヘキモノニシテ単独ニテ之カ処分ヲ為ス能ハサルモノナルコトヲ確知スルヲ得ヘシ：…」と述べ、旧余水利用者を保護したのに対し、上告人は「仮リニ水利権ノ獲得ト水利開鑿ノ許可トハ全ク法律上ノ性質ヲ異ニシ水路開鑿ノ許可ハ必スシモ水利権発生ノ原因ヲナササルモノナリトスルモ本件上吐合堰ハ渡辺曾平治ノ所有ニ専属スルモノナルヲ以テ曾平治カ該井堰ノ構造ニ何等ノ変更ヲ施サス在来慣行ノ井堰ニヨリ自己ノ所有田ニ灌漑ノ余水ヲ利用シテ新ニ水田ヲ開墾スルトセハ恐ラク何人モ故障ヲ唱フルヲ得サルヘク果シテ然ラハ曾平治カ右余水ヲ以テ上告人等ノ徳ノ尾井路ニ於ケル新田灌漑ノ補給水ト為ストモ下流ニ於ケル被上告人ニ於テ何等容喙ノ権利ナキモノト称セサルヘカラス」と主張したのであるが、大審院は上告理由を退け、旧余水利用者の権利を確認した。

「然レトモ原審ハ上吐合井路ノ流水ノ使用ハ同井路ノ下流ニ在ル小倉井堰ノ用水者ノ水利権ニ直接影響アルヲ以テ既ニ明治十四年中曾平治ノ先代清馬在世ノ当時上吐合井路ノ使用権者タル右清馬ト下流小倉井堰ノ用水権者間ニ於テ其流水ヲ互ニ迷惑セサル様引用灌漑スル旨ヲ契約シタル事実ヲ認メ曾平治カ其後上吐合井路ノ余水全部ヲ上告人等ニ給与シタルハ是レ其下流小倉井堰ニ依リ従来其余水ヲ使用シ居リタル水利権者ノ権利ヲ侵害シタルモノト為シ上告人等ノ主張ヲ排斥シタルモノナルヲ以テ右余水ハ曾平治ノ自由ニ処分シ得ヘキモノトシ其承認ニ因リ上告人等ノ徳ノ尾井路ニ於ケル新田灌漑ノ補給水ト為スコトヲ得ルモノノ如ク論スルハ原判旨ト異ナレル見解ノ下ニ徒ニ原判決ヲ攻撃スルニ過キスシテ本論旨ハ理由ナシ」（大判大一〇・一〇・二〇民録二七・一七九四）。

【60】「溜池ヨリ流出スル水ヲ水田ノ灌漑ニ使用スル権利ハ溜池ノ水量過剰ニシテ需要ノ限度ヲ超ユル為排出セシメ又ハ該権利行使ノ結果不用ニ帰シタルニ因リ流下セシムル余水ニ迄及フモノニ非サルカ故ニ、特別ノ事情存スル場合ハ格別、他人カ右余水ヲ引用スルニ付テハ之ニ因リテ自己ノ余水使用権ニ実害ヲ生スサル限リ之カ制止ノ権能ヲ有セサルモノト謂ハサルヘカラス。左レハ原審カ上告人ハ本件角池ノ水掛田地所有者ヨリ黙過セラレテ永年間右角池ノ貯水ヲ引用シ来リタル事実ヲ認定シナカラ、何等特別ノ事情ニ付説示スル所ナキハ勿論、本件流水ニ付被上告人カ如何ナル権利ヲ有シ又上告人カ占流水ノ余水ヲ引用シタルニ因リ被上告人カ実害ヲ被リタル事実アリタルヤ否ヤ等ニ付テモ毫モ判示スル所ナク、漫然上告人カ其ノ主張ノ如キ引水権ヲ有スルコトヲ認メ難ク該事実ヲ前提トスル上告人ノ右角池ノ貯水引用権ノ確認及該引用ノ妨害排除ハ失当ナル旨判定シタルハ、引水権ニ関スル法則ヲ不当ニ適用シ審理ヲ尽ササルノ違法アリ」（大判昭一二・一二・二一判決全集五・一・六）。

二　共用権

（一）　対立する他の流水使用者と対等な地位、資格において流水使用の利益を享受しうる場合を共用権という。もつとも余水利用権と共用権の区別は実際にはつきにくい場合も多く、「論水専用か共用か」という争いがしばしば見られる。

対等な権利としての共用権の根拠はいかなる事実に求められるか。いいかえればいかなる事実が存在することによって共用権としての社会的承認が得られるのであるか。若干の一般的原則は次のとおりであろう。

第一に、堰や水路等を共有しているという事実はその堰水に対する共用権を成立せしめると考えられる。

【61】明治一七・二・一四第四九号久保津井戸堰常水設立一件において久保津井戸堰は観音寺村、寺門村、和気村、今福村等四ヶ村の共有堰である。この堰より流下する水の利用については、観音寺村その他上流三ヶ村と和気村（下流村）との間に若干の差異があつた。原審は和気村の主張を容れ、久保津井戸堰は共有堰であるからその堰から流下する用水は共有者一般平等にこれを使用するの権利を有するものであることを強調し、ただ三ヶ村のみが特権を有することは理由なきものであるとしている。

「抑モ該久保津井戸堰ハ原被四ケ村ノ共有堰ニシテ其堰ヨリ流下スル養水ハ其共有者一般平等ニ之ヲ使用スルノ権利ヲ有スルモノナレハ該堰下原被四ケ村ニ於テ土地ノ水上ニ在ルト水下ニ在ルトニ拠テ其権利ヲ異ニセサルヤ論ヲ竢タストス其故ハ該堰ニ受タル量ハ原被四ケ村カ人力ヲ以テ引入レタル水量ニ外ナラサレハナリ」

ただしこの点について大審院は「慣行ノ在ルアレハ井堰カ共力ニ成立タリトテ一概ニ分量ノ平等ヲ至当トス可キモノナラス」として反対の見解をとつたが、これは原審の見解そのものを否定したのではなく、他の媒介的モメントたる慣行に優越性を認めたまでのことであると解せられる。

第二に、右のことと当然関連あるが、水利施設の普請、修繕等の諸入費負担義務を平等に負うという事実が共用権の成立の証左となると意識され、かつ裁判所もこれを支持した例は少くない。明一四・五・二三両溜井元争論一件（第一八四号）の大審院弁明に「乙第一号及ヒ同第二号証ハ何レモ官費ニ係ル溜井普請出来帳ニテ之ニ原被告村カ連合為シタルハ其溜井ノ水ヲ共用セシニ基ケルモノナレハ……」とあり、明一六・一・九第一号事件の弁明に「又此用水溜池ノ普請費ニ於ルモ上告両村ニ於テ支弁シ来リタル等ノ事ニ至ルマテ……明知スルニ足レリ……然レハ本訴ノ用水ハ上告被上告両村ノ共有水ニシテ上告村ノ専有ニアラサル事実明瞭ナリト云フヘキナリ……」とあること、明一六・七・二八共有字今池地訳立一件（第四一九号）の弁明に、「論池費用収入トモ現ニ折半シ用水モ平等ニ引漑スル等……」とあることなど、いずれも水利施設に対する普請、経費負担等を当事者が分担して引き受けている事実にもとづいて共用権が成立していると認められた事例である。

これらの費用負担が共用権の根拠となることには異論を見ないが、ここで起きる一つの問題は、共用権の対価としての費用負担と余水利用の謝礼としての費用負担との区別が実際にはつきにくいということである。このために費用、人足等を支出し、かつそれが実際に水利施設の普請のために使われている場合にも、なおかつその費用が余水利用の対価として余水利用権の存在を証明するにすぎないものか、あるいはそれ以上に共用権の存在を証明するに足りるものであるかは、かならずしも明らかでない。この認定に当つては、単に一定額の費用その他の義務負担が存在するかどうかということにのみとどまらず、それらの行為の性質ないし仕方——たとえばその義務負担をめぐる社会関係において支配服従的関係があるか、それとも対等な関係があるか等等の——がいかなるものであるかを検討することが、余水利用か共用かを決定するについて必要となるであろう。

（二）　共用権は上述のごとく、他の対立する利用者に対して対等の利用者たることを主張しうるところの権利であるが、この「対等な権利」とは具体的にいかなる内容を持つものであろうか。とくに重要なものをあげれば次のとおりである。

(1)　共用権は分水量の点において他の権利者と平等な量の配水を受けることができる権利であると意識される。ただし契約その他の特別な慣行によって異つた決定がされている場合にはこの限りでないことはいうまでもない。共用権＝同等の引水権ということが判例においても明らかに示された一例として、明一七・九・八分水済ロ証文取消一件（第四七四号）の原審が浅川水における原被両村および永井村三ケ村共同用水権を確認するにさいし、「永井村ニ於テ原被両村ト同等ニ浅川水ヲ引用スル権利アリテ則チ該用水ハ原被両村及ヒ永井村ニ於テ三分スヘキモノ」であるとしたことなどがあげられる。

もつとも平等な引水ということはいうまでもなく、全水量を平等すなわち五分五分に分配するということを、かならずしも意味しない。通常、平等な分水量とは、受益耗地の大小（旧時代においては石高の大小）に比例した率において分配される水量を意味するものと考えられている。

判例法は、反対の証拠がないかぎり、一般に公水において各利用者間の相互の関係は共用にして、各権利者は平等な引水権＝共同権をもつものとしている。

【62】　「凡ソ河川別段ノ契約若クハ特別ノ習慣アルカ又ハ一人或ヒハ数人ノ私鑿ニ成ルモノノ外其ノ沿流ノ

田地相当之ヲ引用スルヲ得ヘキハ素ヨリ当然ノコトナルニ本訴原被告ニ於テハ別段ノ契約ナキハ勿論特ニ上告人共而已ノ専有水ナリト看認ムヘキ習慣アルコトナシ」（大弁明一四・五・四）。

(2) 共用権は水源ないし水利施設の普請に立ち会う権利を包含する。その水源や水利施設そのものが他の権利者の所有地内にある場合あるいはそれが他の権利者に所属する場合といえども例外ではない。堰、水路その他の水利施設の構造は水利秩序に重要な影響を及ぼすものであり、その普請は旧規の定めるところにしたがつて厳重な制約と監督のもとになされるのが通例である。もし普請を行う者がほしいままに普請をなしその結果用水施設の規模、構造等に変化をあたえるならば、それによつて水利関係は変動し、その他の水利権者の権利は実質的に無意味にさせられる。ここに共用権者は、自己の水利権を保護するために水利施設の普請に立ち会うことを当然の要求として主張しうる理由がある。そして逆にこの立ち会い権は共用権のひとつの証左として考えられる。立ち会い権とは水利施設管理権のうちのひとつの具体的内容を構成するものでもある。なおここで立ち会いを求めるということの法律的意味は、単に意思の通知であるのではなく、相手方の承認ないし同意を求める意思表示であることはいうまでもない。立ち会い権とは単に立ち会うという事実行為そのものを内容とするのでなく、立ち会うという事実をとおして、相手方の普請その他一定の行為に承認ないし同意を与えるという権利であつて、その承認がなければ相手方のそれらの行為が違法となるところに、立ち会い権の・権利としての本質が存在するのである。

【63】 明一二・四・一三養水妨一件（第七三号）における争点は原告牧野村の地籍内にある赤塚井池の修繕

に被告吉馬村が立ち会う権利を持つか、それとも原告村が自由にその池を支配進退しうるかという問題に帰着する。原審は被告村の立ち会い権を認める。

「原告ニ於テ赤塚池ハ原告村限リノ修繕ナリト言ヒ被告ニ於テハ立会修繕ノケ所ナル旨相争フト雖モ元来該池ノ末流ナル宮裏池ノ養水ヲ原告ヨリ分与セシ上ハ其水上ナル赤塚池ノ修繕等ヲ立会サルヲ得サル筋合ナリトス何ントナレハ該所原告村限リ自由ニ進退イタストキハ南水路ヘ自儘ニ水ヲ行ルノ恐レナキヲ保シ難ケレハナリ」

これに対し原告牧野村はさらに上告して言う。

「抑土地ノ所有者ナル者ハ其地上地下ニアル百般ノ造営ヲナスハ天然固有ノ権ニシテ何ソ村内一二ノ小池ノ水ヲシテ旧隣村ニ之ヲ分用セシムルトテ旧隣村ヨリ其小池ノ水源ニ立会フノ権利アルヘケンヤ但其水源ノ所有者ナル旧牧野村ハ能ク節ヲ守リテ彼ニ給スル池水ノ水路ヲ変セサルノミヲ以テ土地ノ義務ハ尽セリト云フヘシ豈我地内ノ井泉ヲ引用セシムル沚之カ修繕ニ立会フノ権アランヤ」

大審院は上告村の上告理由を退け原審を支持した。

「論所赤塚井池ニ於テ原被両村ヘ定量ノ分水ヲ為ササルヘカラサル上ハ従前牧野村カ旧吉馬村ヲシテ立会ハシメサル証拠アレハ格別ナレトモ今日其証拠ナキ以上ハ旧吉馬村ヲシテ修繕等ニ立会ハシメサルヲ得サルモノナリトス何トナレハ仮令其水源ハ何レニ在ルモ其水ヲ使用セルノ権利ヲ有スル者水源ノ普請ニ立会フヘキ権利アルハ論ヲ俟タサレハナリ」

右の例において、いわゆる立ち会い権の本質が最も典型的に示されている。なお、この立ち会い権と関連して共用権者相互のあいだには、たがいに堰の新築、水路の変更、樋の設置や除去等等新規の行為によって相手方の既得権を侵害することは許されないとされる場合が一般である。だからかかる新規の行為をなすにあたつては、事前に協議を遂げなければならず、また協議なくして為された新規の行為に対しては、相手方は原状の回復および損害賠償の請求をすることができる。このような意味での協議権および原状回復請求権もまた共用権の内容のひとつを構成する。

【64】「河川ノ沿岸所有者ハ他人ノ権利ヲ害セサル範囲ニ於テハ田地ニ灌漑シ水車ニ利用スル等各自其水流ヲ使用スル一種ノ権利ヲ有スルコトハ法律ノ明文ナキモ慣習上認メ来リタル所ニ係リ而シテ此権利ヲ侵害セラレタル者ハ加害者ニ対シテ損害ノ賠償又ハ妨害ノ排除ニ因リテ其救済ヲ求メ得ヘキコトモ亦当院ノ判例ノ是認セル所ニシテ但不法行為ニ因ル損害賠償ヲ求ムルニ当リテハ金銭ヲ以テスルノ外他ノ賠償方法ヲ許ササルヲ通例トナスト雖モ妨害ノ排除ニ依リテ侵害セラレタル権利ノ回復ヲ求メ得ルノ妨ト為ルヘキモノニ非ス」（大判明三八・一〇・一一民録一一・一三二六）。

【65】「田地ノ所有者カ田養ノ為メ各自ノ反別ニ応シテ河川ノ流水ヲ平等ニ使用シ得ヘキ慣習上ノ権利ヲ有スル場合ニ於テ其ノ一人カ他ノ所有者等ノ分水権ヲ侵害シタルトキハ民法第七百九条ノ不法行為ナリト論断セサルヘカラス」（大判明三九・三・二三民録一二・四四五）。

三　専用権

（一）対立する水利用者のうちの特定の利用者が、他の利用者に優越する支配権を持つとき、その権利は専用権と呼ばれる。したがつて専用権は対等な権利としての共用権に対立する概念であるとともに、従属的権利としての余水利用権に対応する概念である。当事者のうちの一方の側に余水利用権が存在するとき、それに対応して他方の側にかならず専用権が存在する。

専用権の発生はいかなる事実によつて媒介されているであろうか。一般に水利施設物に対して独占的管理権を持つている場合に、その管理者はその施設を利用することによつてえられる用水に対して独占的専用権を主張しうるものとされているようである。このことは、水利施設の共用が共用権の根拠とされているということに対応する現象である。たとえば明治一三年四月二日の安沢堰水論一件（第八一号）において小阪耕地の地籍内にある水源に対して有賀耕地がその専用権を主張するにあたつて根拠とした諸点のなかには、「旱魃の年柄に有賀耕地一介の費用で有賀村から水番を置いていたこと」「堰台は起頭より有賀耕地の築造したもので爾後その修理および水源から流末に至るまでの水路の浚渫等も有賀耕地だけで負担してきたこと」等の諸点も含まれていた。大審院もこの主張を支持し、有賀耕地専用の水であることを認めた。

【66】　「要之ニ該安沢水ノ地ハ宝永度絵図裏書ニヨレハ原被村ト文出村ト三ケ村ノ入会草刈場ニシテ其所属ハ被告村ナレトモ他ノ田畑ノ如ク当時未タ所有主ノ定マラサルモノナレハ有賀耕地ニ於テ用水ノ為メ既ニ該水ヲ占領セシモノニシテ其堰合等ヲ築造スルニ方テ被告ハ之カ故障ヲ称セシ形跡ノ見ルヘキナケレハ該水ヲ有賀耕地ニ於テ専有スルハ被告モ之ヲ黙許ニ附シタルモノト認メサルヲ得ス……況ンヤ有賀耕地ニ於テハ被告村民カ有賀用水堰台ヘ穴明ケシ誤リヲ謝セシ証書ト番夫修繕等ニ於テハ当時ノ所管庁ヲ経ン諸帳簿ヲ有シ該水ノ保護ニ就テハ尤視ルヘキモノアルニ於テヲヤ……依テ本訴安沢湧水ハ原告有賀耕地専用ノ水ナリト判決ス」

右の例において有賀耕地は古文書等の証拠のほかに、費用をひとりで負担して水番を置いてきた事実、および堰台の築造、修理、水路の普請等それら水利施設の管理責任を一手に引き受けてきた事実を掲げて、これをもつて専用権の根拠とし、裁判所もまたこれを支持している。

また堰等水利施設物のあらたな設置その他水利の開拓、創設等が専用権の根拠として認められる場合がある。いうまでもなく、他の水利用者はその水利の創設によつてはじめて現在の利益を享受しうるようになつたのであるから、かかる創設をした者に優先権が与えられるのが当然であると考えられているのである。

【67】「控訴人等が従来三好村大字船越字東の関に於て灌漑用の為め同所を流過する野上川に堰を設けて分水し同村字中橋字本庄等に於ける同川沿岸の被控訴人所有に係る水田を灌漑し来りしことは当事者に争なき所にして右堰設置は明治九年地租改正の頃より已に公認され来りたるものなることは証人井上二郎の証言により認むるに足れるが故に被控訴人等は我邦古来の慣習上汎く認め来りし所によりて該河川の流水を専用する権利を取得せるものと認めざるべからず」（東京控判大三・五・九新聞九四八）。

（二）　専用権はその流水を独占的優先的に利用しうる権利であるが、その内容の重要なものをあげれば次の諸点であろう。

(1)　専用権者は先取の特権を持つ。すなわち他の水利用者に先んじて引水することができる権利である。この特権は旱魃等にさいし他の水利用者が水不足に苦しんでいるときでも先ずもつて必要な十分の水量を専用権者に確保せしめるものであり、かかるさいにこそ強力な効果を発揮する。しかしこの特権の効力について判例法上若干の問題を生じること後述のごとくである。

(2)　専用権者はしばしば番水にさいしてすら、他の一般利用者に優越する地位を与えられることがある。いうまでもなく番水とは旱魃等のさいに公平、平等を旨としておこなわれる統一的な配水秩序（註一）

である。したがつてこの統一的秩序に拘束されない特権を留保するということは、優越性の実質的内容を構成する顕著なものである。この特権にはさまざまの種類がある。たとえば番水の規定に全然拘束されず、番水中任意に水を引用しうる権利を留保する場合、番水の規定には服するが配水の順序において、あるいはその量において平等の原則を破るような特権を持つ場合、番水開始の時期、方法等について決定権を持つている場合等々である。

(3)　専用権者は水源たる溜井やその他用水路、堰、樋等を自由に独占的に管理し普請する等の権利を持つものとされる。それらの独占的支配は、それをとおして間接に水利関係を決定する権利を掌握することであり、したがつてこの権利もまた専用権の重要な内容を構成するものである。

(4)　以上のことと関連して専用権者はその専用権を犯されたとき、ないし犯されるおそれのあるとき、妨害排除、原状回復、妨害予防等々の物権的請求権を持つこともまたうたがいない。

(5)　最後に、このような強大な特権を持つ専用権といえども、それは所詮必要水量に対する具体的用益権にとどまるのであり、それを超えて絶対排他的に流水を支配しうる権能をもつものではないこと、くりかえし述べたとおりである。

（註一）　番水制度は、渇水時におこなわれる制度としてはかなり普遍的である。たとえば甲部落は昼間に水をひき乙部落は夜間に水をひくとか、あるいは三時間ごとに交互に引水するとか等々時間をきめてその時間割りに引水する制度である。なけなしの乏しい水をおたがい同志できるだけ公平に利用しようという趣旨を基礎としているものであるが、一見合理的に見えるこの番水制度も、仔細に見るとかならずしもそうでない。専用権を持つ部落が番水において特権を持つ場合などそのいちじるしい例である。

（三）　専用権のうちでも、上流支配者および古田所有者ないし旧水利権者の持つ専用権は最も普通的一般的である。すなわち上流に位置するという事実、あるいは古田を持つ、ないし古くから水利を支配しているという事実は専用権成立の有力な根拠とされている。

(1)　上流に位置する権利者は下流に位置する権利者に先んじて優先的に流水を支配することができると一般に考えられている。この例は枚挙にいとまがないが典型的例を示す。

【68】「其用水路に流入する水量が其用水路関係の全田地に灌漑するに不足なる場合には其用水路の上流に於て灌漑し順次下流に及ぼすとき灌漑用水は下流に於て不足を生ずべきは当然にして、下流に位する田地の所有者は其不利益を甘受せざるべからざるものなれば、況んや本件の如き同一水路の関係人にあらずして各自別個の用水路を有し単に其用水に流入する水が共に大代川の流水なる場合にありては控訴人等下流部落の田地所有者は其上流なる被控訴人等より不利益なる地位に在るを免かれざるものなれば……」（東京控判大・四・一一・一九新聞一一二六）。

(2)　古田所有者として水利権を持つている者は、その同じ水の利用権をあとから獲得するに至つた新田所有者に対して優先的専用権を主張しうるのが一般の慣習である。したがつて新田開発その他あらたに水利の便を得ようとする者は、その流水を古くから利用してきた旧水利権者の同意を得て、その既得権を侵害しない範囲内でのみいわゆる余水を使わせてもらうということになるであろう。

【69】明一二・六・一八「新田畑地に変換並井路掘起違約の一件」において、被告勝山長太郎は明治一〇年一月原告千馬清太郎ほか八名の上余瀬の田地を灌漑している用水源字高祖谷の山中に、新田を開き新井路をうがつた。被告はそのときの規約で「後来字上余瀬田地大旱魃ノ憂患有之候節ハ拙家新田旱損ニ致置候テモ養水

ハ不残旧田地へ引下ケ申候間此段御承服被下度若右ノ事情違約ニ及ヒ候節ハ右新田畑地ニ変換可仕」と、う内容について一札をとられていたのである。明治一〇年の旱魃にさいし被告が右協定を遵守せずして、上余瀬の旧田に一滴の水をも入れなかつたので争いとなり、原告は被告の新井路をつぶし新田を畑にすることを請求する。

　原審は原告の主張を容れ、被告が右の契約に背いたものと認定し、被告が新開した字高祖谷の田面はこれをすべて畑地に変換すべき旨判決した。大審院も原判決を支持する。

この事件の経過の中に、旧田所有者の新田開発者に対する強力な用水上の権利を見ることができる。

新田が旧田の下流に開発される場合であつても、旧田所有者の水利に害を与えるおそれがあるときには、旧田所有者の承諾なくして新田を開発することは許されない。

【70】「又上告者ハ右新田ニ引用スルノ用水ヲ指シ〔上告村下流ノ極端ニアル土地ヲ開墾シ被上告村ノ地内ヲ経過シ上告村ノ田地ヲ養ヒアリタル余水ノ空シク大葦川ニ流入ルモノヲ引用シタリ〕云云ト言ヒ恰モ被上告者ノ為メ害ナキカ如ク申立ルト雖モ凡ソ自然ノ水勢ニ依テ他ノ河川ニ流落スルモノハ格別苟モ人工ヲ用ヒテ之ヲ引用スルニ至テハ其度ニ従ヒ自カラ水脚ヲ速メ従テ上流ノ水量ヲ減セシムルハ数ノ然ルモノタリ且ツ右上告者ノ論理ニ依テ之ヲ推セハ上告村ノ新田開発ハ豈ニ特リ其下流極端ノ地ニ止マランヤ上告村中何レノ処ヲ問ハス皆之ヲ新田ニ開発シ得ルト云ハサルヲ得ス如何トナレハ此新田ニ引用スルノ水モ亦既ニ被上告村ノ地内ヲ経過シ其田地ヲ養ヒアリタル余水ナリト云フヲ得ヘケレハナリ奈何ソ之ヲ被上告者ノ為メニ害ナシト云フ事ヲ得ンヤ」（大判明一六・四・一〇）。

このような旧水利権者の持つ特権は、つとに徳川時代から認められていたところのものであるが、明治以降の裁判所もこのような旧幕藩の封建的古田保護政策を原則として承継し、旧水利権者の優先的専用権を擁護してきたようにおもわれる。ただし大判明二九年三月二三日（民録二・三・九二）の判決理由に、「係争ノ小滝川ニシテ公共ノ水路ナルトキハ他人ノ既得権ヲ妨害セサル限リハ何人ト雖モ適意ニ之ヲ使用シ得ル理合ニ付従来使用スル者ト新タニ使用スル者トノ間其権利ニ差等ノアルヘキ理ナシ故ニ原裁判所カ分水路ノ新設ヲ認メナカラ従来其川水ヲ使用シ来ル上告人ニ之ヲ差止ムル権ナシト判断シタルハ相当ニシテ原判決ハ法律若シクハ慣例ニ背ク所ナシ」と述べているのは、新旧利用者の間に「権利ニ差等ノアルヘキ理ナシ」という原則を掲げ、旧水利権者の特権を否定している例であるようにも考えられる。しかし右判決は同時に「他人ノ既得権ヲ妨害セサル限リハ」という留保をもつけているのであり、この点を考えればやはり結果的には古田所有者の専用権を保護しているようにも考えられ、その点での論理的明確さを欠いている。また古田所有という事実のみをもつてただちに専用を認めることはできないということを明確に述べた判決も例外的にはいい存在する。

【71】「然レトモ原院ハ各種ノ証拠ニ依リ本件井手ノ流水ハ全ク被上告人主張ノ如ク慣習上二十七町八反九畝四歩ノ田地灌漑ニノミ使用スヘキモノナリト認定シ尚進テ上告人ノ主張ニ対シ本訴論地ニ付テハ才月ノ経過ト共ニ自然ニ引水権ヲ獲得シタリトノ事実ハ之ヲ認ムヘキ証拠ナシトシテ其主張ヲ排斥シタリ而シテ右二点ニ関スル認定ハ単ニ田地開墾ノ新古ノミニ依リタルニアラサルノミナラス一般ニ之ヲ云フトキハ古田ナレハ必ス専用ノ権アリト云フヘカラス例ハ古田開墾ノ当時ハ他ニ引水ノ途アリシモ地勢ノ変遷等ニ因リ其引水ノ途断絶スルカ如キ場合アリテ新開墾地用ノ水路ニ給水ヲ仰カサルヲ得サルカ如キ状況ニ立至ル場合ナキニアラサレハナリ要ハ唯果シテ使用権ヲ得（慣習上又ハ合意上）タルヤ否ヤニ在リ」（大判明四二・一一・二一民録一五・一一・六）。

(3)　右に見たように上流支配者と旧水利権者の水利権は専用権として強い効力を保障されているのであるが、この両者のうちではさらに後者の方が、より強い効力を持つとされている。すなわち上流水利権者といえども、その下流において古くから水を利用している者の専用権を害することはできない。

【72】　本件において、上告人は係争の用水を古くから自己の田地に使用し、それでも用水に不足勝ちであるために池水を貯え井戸を掘る等の手段によつて不足を補充している。被上告人はこの上流において該川筋の沿岸にあたらしく田地を開墾してその流水の幾部を使用することを要求した。上告人は、上流において被上告人が使用するに至ればただちに用水に不足をつげることを指摘し、本件用水が上告人の専用水であることを主張する。大審院もこれを支持する。「蓋シ河川其他水流地ノ沿岸所有者ハ其流水ヲ自由ニ使用シ得ヘキコトハ一ノ法理トシテ認ムルヲ得ヘシト雖モ我邦古来ノ習慣ニ依レハ田地養水ノ如キ一定ノ使用者アル場合ニ於テハ上流ノ沿岸所有者タリトモ擅ニ其流水ヲ使用シ以テ養水使用者ノ権利ヲ害スルヲ得サルモノトス」「故ニ養水使用権ノ如キハ或ル一定ノ人ニ専属スル証拠ナケレハトテ他人カ擅ニ之ヲ使用シ得ヘキ条理ナキナリ」（大判明二九・一〇・七民録二・九・一九）。

【73】　「依テ按スルニ河川渓水等ノ沿岸所有者ハ其ノ流水ヲ使用シ得ヘキハ勿論ナルモ我国古来ノ慣行ニ依レハ渓水ノ如キ流水ニ付キ既ニ一定ノ使用者アリテ之ヲ以テ田地養水ト為セル場合ニ於テハ上流ノ沿岸所有者タリトモ後日ニ至リ新ニ田地ヲ開キ擅ニ其流水ヲ使用シ以テ従来使用シ居リタル下流沿岸所有者ノ養水使用権ヲ害スヘカラサルモノトセリ而シテ此ノ慣行ハ裁判所側ニ於テモ亦是認スル所ナリ何トナレハ此慣行ヲ是認セサルニ於テハ渓水等ノ水流ノ上流ニ於テ新ニ田地ヲ開ク者アル毎ニ下流ノ田地所有者ハ其ノ養水ヲ失ヒ漸次田地ヲ廃シ畑地ト為ササルヲ得サルカ如キ地位ニ陥リ啻ニ下流沿岸所有者ノ利益ヲ害スルニ止マラス国家ノ公益

ヲ害スルニ至レハナリ故ニ渓水ヲ以テ其田地養水ト為セル者アルニ於テハ上流沿岸所有者ノ渓水使用権ハ下流所有者ノ使用権ヲ害セサル範囲内ニ止マリ擅ニ之ヲ使用シ以テ下流所有者ノ従来ノ使用権ヲ害スルヲ得サルモノトス」（大判明三二・二・一民録五・二・一）。

【74】本件において被上告人は寺堰ならびにその用水路等の費用をすべて負担し、その用水の専用権を持つている。上告人はその堰によつて分水した・いわゆる堰水そのものには手をつけないで、その本流たる天然の河流をその上流において利用したのであるが、これによつて本流の水量が減じ、上告人等が直接分流を利用して被上告人の権利を妨げるのと同じ結果になる場合には、被上告人の旧水利権は保護されねばならない。

「然レトモ原判決ハ被上告人カ寺堰ノ用水ヲ専用スル権利アルハ古来ノ慣行ニ依ルモノナルコトハ甲第一号証ニ由テ確定シタル事実ナルヲ認メタルナリ而シテ既ニ被上告人等カ此用水ヲ専用スル権利アル以上ハ其堰ノ下流ト上流トニ論ナク苟クモ被上告人ノ使用権ニ害ヲ及ホス方法ニ於テ他人カ之ヲ使用スルヲ得サルハ当然ノ事ナリトス何トナレハ上流ニ在テハ仮令寺堰ノ水量ヲ減少シテ古来権利ヲ有スル被上告人等ノ引水ニ不足ヲ生スルモ猶ホ之ヲ使用スルヲ得ルトセハ被上告人ノ有スル権利ハ之ヲ保全スルヲ得サレハナリ」（大判明三七・七・八民録一〇・一〇四一）。

下級審にも同旨のものはすくなくない。

【75】「公共ノ流水ト雖一旦或者ニ於テ田養水トシテ之ヲ専用スルノ慣習発生シタル時ハ其者ニ於テ之ヲ専用スルノ権利ヲ獲得シ仮令右流水ノ上流ニ位置スル者ト雖右権利ヲ侵シ得サルモノトス」（広島控判大五・一二・二三新聞一二一六号）。

【76】「徳島県美馬郡江原村地方ニ於テハ新ニ水田ヲ開墾スルモ下流ニ水利権ヲ有スルモノアル場合ハ水流ヲ引用スヘカラサル事例アルモノトス」（大阪控判大五・一一・九、武井・安田「前掲」五五一頁）。

右の諸判決に見るように、旧水利権者、古田所有者の権利は、上流水利権者のそれよりも強大である。水の公共的性格があきらかになるにしたがつて、このような優越的専用権の効力等について再検討する必要が出てくることとおもわれる。

法定地上権

林　千衛

はしがき

最高裁判所が発足してから既に一〇年を経過したが、抵当権に関する判例が現われるようになつたのは、やはりインフレの終束した昭和二四、五年頃以後であり、法定地上権に限つてみてもほぼ同様である。しかもその数も決して多くはない。しかし下級審の判例には、法定地上権について、従来の判例理論に拘泥しないで、戦後の住宅難に直面し、建物の存続を完からしめようと苦心したと思われるものがあるが、上級審では必ずしもこれが維持されていない。判例による民法三八八条の拡張解釈がようやく限界に来たことを示すもののようである。

本稿を執筆するに当つては、「原則として大審院・最高裁の判例を対象とし、判例理論の紹介を中心に、その説明・批判に必要な限度において、相当詳細に学説を紹介する」という編集方針を旨とし、判例にはできるだけ当つたつもりである。しかし非力の上に、本業の実務に妨げられ、思うような成果を得られなかつた。判例の取捨選択も当を得ないものがあろうし、殊に理論の面では、学説の紹介の部分すらまことに心もとない。御叱正を得れば幸いである。

なお判例集は最高一〇巻一二号（昭和三一年一二月分登載）、高等九巻一二号（同一二月分登載）、下級七巻八号（同八月分登載）まで、その他の資料は昭和三二年五月中旬頃までに入手し得たもの（例えばジュリスト一三〇号まで）を参照した。

一　総　説

わが民法は他の立法例と異なり、建物を土地とは別個の不動産とし、このため特別の登記簿（建物登記簿）が設けられている（不登一四参照）。この結果、土地とその地上の建物が各別の所有者に属する場合には、複雑な法律関係を生ずる。民法三八八条の法定地上権に関する規定も、その解決のための一手段である（この点は立木についても同様である（立木五参照））。三八八条はわが民法の創設にかかるもので、他国にはみられない規定である（原田・日本民法典の史的素描一三〇頁）。ただ民法制定当時には既にわが国において土地と建物とを別個の物とする慣習があり、民法もこれをとりいれたもののように従来いわれているが（梅・民法要義四七二、五二五頁参照）、かかる慣習の全国的存在の点は多少疑わしい（福島・清水「日本資本主義と抵当権制度の発展」時報二八巻一一号一二三六頁参照）。

甲が土地とその上の建物とを所有する場合に、土地のみを抵当に入れるときは、競売により土地を取得する乙は、その建物のために地上権を認めねばならない。甲が建物のみを抵当に入れるときは、競売により建物を取得する乙は、その建物のために地上権を取得する。これが三八八条の適用される最も普通の場合であつて、かくの如く抵当権実行の結果当然生ずる地上権が法定地上権である。もし右のような場合に、法定地上権が認められないとすれば、「建物ノ所有者ハ土地ノ上ニ如何ナル権利ヲモ有セザルカ故ニ、勢ヒ其建物ヲ取崩シテ他ニ移転セザルコトヲ得ズ。此ノ如クンバ建物ハ建物トシテハ全ク消滅ニ帰シ、僅ニ木材、石材等ノ価ヲ存スルノミ」となろう（梅・前掲五二五頁）。

民法が法定地上権を認める理由は、判例においては、多く建物の存在を完うせしめんとする国民経済上の必要に求められている（時代順にあげると〔7〕〔12〕〔8〕〔20〕〔9〕〔4〕〔10〕など。従って当事者の特約によってもこれを排斥し得ない（大判明四一・五・一一民録一四・六七七））。しかしこの理由を強調すれば、抵当権設定当時に土地の上に建物が存在していたかどうかを問わず、競落の際に建物が存在すれば法定地上権を認めねばならないことになる。しかるにこれはたて前として判例が後述の通り頑として認めないところである。法定地上権を認めることは、少くとも土地の抵当権者の不利益であることは否定し難い。判例のいう「国家経済上」とか「一般経済上」とかいう観点も、その背後には建物所有者の保護という思想がひそんでいるとみられる（〔4〕に対する長野・民商一一巻五号八六七頁批評参照）。現にこれを明言するものもある（〔11〕、大判昭一四・七・二六民集一八・七七二など）。従って法定地上権の成否は、やはり両者の利益の衡平をどこに求めるかにより決せられることとなる。判例は、抵当権者の予期をこの判断の重要な基準としているといえよう（例えば〔1〕〔4〕）。

二　法定地上権の成立要件

法定地上権の成立要件も、三八八条の規定から、左の通りいくつか考えられるが、判例は次第にこれをゆるやかに解し、できるだけ法定地上権の成立を認めようとする傾向がみられる。

一　抵当権設定当時に、土地の上に建物の存在すること

（一）　さら地に抵当権を設定し、その後この地上に建物を建てた場合に、土地が競売されても、その際法定地上権は認められない。

【1】　「民法第三八八条ハ抵当権設定前ニ於テ建物カ土地ノ上ニ存スル場合ニ対スル規定ニシテ、抵当権設

定後建物ヲ建設シタル場合ニ対スル規定ニ非ザルコト該条ノ明文上ヨリスルモ又同第三八九条ノ規定ト対照考察スルモ毫モ疑ヲ容ルベキ余地ナキノミナラズ、若シ上告論旨ノ如ク抵当権設定後ニ於テ所有者カ抵当ト為シタル土地ノ上ニ建物ヲ建設シタル場合ニモ其適用アリト解スルトキハ、土地ノ抵当権者ハ抵当権取得ノ際何等地上権ノ負担アルベキ事由ヲ有セザル完全ナル土地所有権ナリト為シ、之ニ着眼シ之ヲ以テ抵当権ノ目的ト為スコトヲ甘諾シタルモノナルニ拘ハラズ、其後ニ至リ其意ニ反シテ所有者一己ノ行為ニ因リ抵当権ノ目的物ガ物権ノ負担ヲ受クルノ結果ヲ来シ遂ニ意外ノ損失ヲ被ルニ至ルベシ」(大判大四・七・一民録二一・一三一三)。

その後も判例は同趣旨を繰返し(大判大一五・二・五民集五・八二、昭一一・一二・一五民集一五・二三一二など)、他の要件についてはゆるやかに解する判例も、この点については固守して譲らない。さら地とそうでない土地とでは担保価値に甚しい差があるから(土地が借地権により制限をうけるときは、東京では土地の価格はさら地の場合の一〇—四〇%程度であろう(我妻ほか「不動産セミナー」ジュリスト五一号二一頁以下参照))、さら地としての高い評価に基いて設定された抵当権が、後に地上権によつて制限されるとすれば、抵当権者が意外の損失を被ることは右の判例のいう通り否定できない。学説も多くは判例を支持しているが(石田・担保物権法論上巻二六八頁以下参照)、反対説もある(柚木・判例物権法各論三七七頁(〔5〕に対する批評(民商三巻三号五一二頁)はさらに詳細である)、山中・判民昭和一一年度一五三事件評釈)。民法が抵当権設定後に成立した用益権は、三九五条により例外的に保護される短期賃貸借以外ことごとく抵当権によりくつがえされるとしている限りは、やはり判例を是認するほかなかろう(我妻・担保物権法一七六頁)。

しかし右の場合、抵当権者はその地上に築造された建物が抵当権設定者の所有に止る間は(我妻・有泉「民法総則・物権法」三八九条〔3〕参照)、土地と共にこの建物を競売することができる。但し優先弁済権は建物の競売代金には及ばない(民三八九)。

(二) それでは、抵当権者と設定者との間で、後に建物が築造されたら、その建物のために土地が地上権の制限をうけるという特約をしたらどうか。かかる特約は登記簿上に表示する途がないから(不登一・一一七参照)、土地の競落人はその拘束をうけない。

【2】「建物ノ存在セザル土地ヲ抵当ト為シタル場合ニ於テ、抵当権設定者ト抵当権者トノ間ニ、将来其地上ニ建物ヲ建設シタルトキハ地上権ヲ設定シタルモノト看做ストノ合意ヲ為スハ、他日抵当地ガ競売セラルコトアリテ競落者ノ所有ニ帰シタル場合ニ、其土地ニ地上権ヲ負担セシメントスルモノニシテ、競落者ハ他人ノ行為ニ因リ濫リニ其所有地ニ地上権ヲ負担セシメラルルノ理由ナキヲ以テ、斯ル合意ノ競落者ニ対シテ效ナキヤ勿論ナレバ、建物ヲ建設シタル抵当権設定者又ハ建物ノ転得者ガ、之ニ因リテ地上権ヲ取得スベキ理ナキハ明白ナリト謂フ可シ」(大判大七・一二・六民録二四・二三〇二)。

特約をした抵当権者と設定者との間で、その効力のあるのはいうまでもなかろうが(石田・前掲二七〇頁参照)、抵当権者がこの特約に基づき地上権の負担ある土地としてその土地を競売しようとしても、競売の際これを公示できないから(競売二九Ⅰ、民訴六五八参照)、やはり競落人は地上権を認める必要はない。

(三) 抵当権設定当時にその土地の上に存在する建物が未登記であつても、法定地上権の成立には妨げないかは一個の問題である(未登記建物のみに抵当権を設定する場合は議論の実益がほとんどない(長野・前掲八六三頁参照))。判例はこの未登記の建物を抵当権設定後に譲受け保存登記をした場合にも、法定地上権は成立するという。

【3】「右ノ規定(民法三八八条)ノ適用ニ付テハ、抵当権設定者ガ建物所有権ノ取得ヲ以テ抵当権者ニ対抗シ得ル場合ナルコトヲ要スルハ勿論ナリト雖、必ズシモ抵当権設定当時建物ニ付其ノ登記ヲ為シタルコトヲ要件トスルモノニ非ズ。故ニ例ヘバ抵当権設定者ガ抵当権設定当時自己ノ新築シタル建物ヲ所有シ、未ダ其ノ

保存登記ヲ経由セザリシトスルモ、建物ヲ新築シタル者ハ保存登記ノ有無ヲ問ハズ其ノ所有権ノ取得ヲ以テ抵当権者ニ対抗シ得ルモノナルヲ以テ、競売ノ場合ニ於テ該建物ノ所有者タル抵当権設定者ハ土地ノ競落人ニ対シ地上権ヲ取得スルモノト謂ハザルベカラズ。而シテ土地及其ノ上ニ存スル建物ガ同一所有者ニ属スル場合ニ於テ、其ノ土地又ハ建物ノミヲ抵当ト為シタル後、抵当権ノ目的タル土地又ハ建物ガ其ノ競売ニ至ル迄同一所有者ニ属セザル場合ニ於テモ民法第三八八条ノ適用アルコトハ当院ノ判例（大正一二年（オ）第二六六号同年一二月一四日民事聯合部判決参照＝【9】）トスル所ナルヲ以テ、土地ノミヲ抵当トナシタル抵当権設定者ガ地上ニ存スル建物ヲ他ニ譲渡シタル場合ニ於テハ、其ノ譲受人ガ土地ノ競落人ニ対シ地上権ヲ取得スルモノニシテ、之ノ場合ニ於テ該建物ガ未登記ニシテ未登記ノ儘譲渡セラレ、譲受人ガ抵当権設定後土地ノ競落前ニ其ノ保存登記ヲ為シタル場合ニ於テモ、建物譲渡人タル抵当権設定者ニシテ右規定ニ依ル地上権ヲ取得シ得ベカリシ場合ナルニ於テハ、譲受人ニ於テモ同ジク地上権ヲ取得スルコトヲ得ルモノト謂フベク、建物ノ譲受人ガ抵当権設定後ニ於テ建物ニ付保存登記ヲ為シタルコトヲ理由トシテ、右ノ規定ノ適用ヲ拒否スルコトヲ得ザルモノトス」（大判昭七・一〇・二一民集一一・二一七七）（大審院昭和九年一〇月一一日判決（新聞三七七三・一七）も同様の結論を認める）。

右はいずれも建物の譲受人がはじめて保存登記をした場合であるが、抵当権設定者たる未登記建物の所有者が自らその後保存登記をした場合、判例は勿論法定地上権の成立を認める。

【4】「民法第三八八条ハ土地及其ノ地上ノ建物ヲ所有スル者ガ、土地又ハ建物ノミニ付キ抵当権ヲ設定シタルトキハ、競売ノ結果其ノ所有者ヲ異ニスルノ結果ヲ生ズベク、斯ル場合ニ於テハ建物ハ之ヲ該地上ヨリ収去スルコトヲ要シ、建物トシテ之ヲ利用スルノ由ナキニ至ルヲ以テ、国家経済上ノ見地ヨリ、建物ノ所有者ノ為メニ地上権ヲ設定シタルモノト見做シ、建物トシテノ利用ヲ全タカラシメントスル趣旨ニ出デタルモノナリ。而シテ本件ノ場合ノ如ク、土地ノミニ付キ抵当権ヲ取得シタル者ハ、最初抵当権ノ設定ヲ受ケタルモノナ

ルト、後日其ノ権利ヲ譲受ケタルモノナルトヲ問ハズ、該地上ニ建物ノ存在シタル事実ハ之ヲ了知セルコトヲ通常ノ事例トスルガ故ニ、競売ノ場合ニ於テ建物ヲ所有スル何人カガ其ノ土地ニ付キ地上権ヲ取得スベキコトハ、当然予期スベキ所ニシテ、斯ル土地ヲ競落シタルモノモ亦同様ナリト謂ハザルベカラズ。……然ルニ所有権保存登記ナルモノハ、特定ノ所有者ガ其ノ所有権ヲ第三者ニ対抗スルノ手段ナレバ、建物ニ付キ所有権保存登記ノ存スルト否トハ、叙上ノ場合ニ於ケル地上権ノ取得トハ自ラ別個ノ問題ナリト謂フベク、土地ノ抵当権者又ハ競落人ハ保存登記ノ欠缺ヲ主張スルニ付キ正当ノ利益ヲ有セザルモノナリ。之ヲ要スルニ、抵当権設定当時又ハ（抵当権がその後譲渡されて）其ノ移転登記ノ当時建物ニ付所有権保存登記ノ存セザルコトハ、競売ノ場合ニ於テ建物ノ所有者ガ地上権ヲ取得スルノ妨ゲトナルベキモノニアラズ」（大判昭一四・一二・一九民集一八・一五八三）。

大審院は建物新築の場合には登記なくしてその所有権取得を第三者に対抗し得るとしていた（大判大一五・二・二三民集五・九九参照）。この理論からすれば、【3】のいうように、抵当権設定者は未登記建物の所有者としてその所有権を以て抵当権者に対しては勿論、さらに土地の競落人に対しても対抗し得るわけであり、競落までに保存登記を具備する必要もないこととなる。ただ競落までに建物の譲渡が行われたときは、譲受人は登記（保存登記でもよい）（大判大八・二・六民録二五・六八参照）がなければ競落人に対抗することができず、従つて法定地上権も主張し得ない。判例の右の前提は通説も認めるところであり（我妻・物権法〔一〇九〕参照）、保存登記の場合にその登録税が高率であることなどのため、建物を築造してもなかなか保存登記が行われないこと、土地の取引には実地に当つてみるのが普通となつていることなど、わが国の実情からみると、右の判例を是認するほかなかろう（我妻「聯合部判決巡歴第二五話」ジュリスト一〇九号二四頁）。

しかしながら、【3】は対抗要件の問題のみから法定地上権の成否を判断し、【4】はむしろ抵当権者及び競落人の予期を問題としており、判例理論としては一貫しないものがある。

（四）　土地に抵当権が設定されたときに存在した建物がその後滅失し、それから抵当権が実行された場合はどうか。

(1)　建物が滅失しても競売前再築されておれば法定地上権成立の妨げとはならない。しかし存続期間その他地上権の内容は旧建物を標準として決すべきである。

【5】「案ズルニ民法第三八八条ニハ、土地及其ノ上ニ存スル建物ガ同一ノ所有者ニ属スル場合ニ於テ其ノ土地又ハ建物ノミヲ抵当ト為シタルトキハ、抵当権設定者ハ競売ノ場合ニ付地上権ヲ設定シタルモノト看做ストアリテ、右所有者ハ土地ノミニ付抵当権ヲ設定シタル以上、建物ノ所有者トシテハ、其ノ設定ト共ニ後日競売ノ場合ニ付、地上権者トシテ土地ノ利用ヲ継続シ得ラルベキ地位ヲ取得シタルモノト解スベキモノナレバ、当該建物ガ抵当不動産ノ競売前既ニ朽廃シタル場合ハ格別ナルモ、然ラザル限リ、其ノ所有者ハ仮令建物ガ滅失スルコトアルモ再築ノ上当該土地ノ利用ヲ継続シ来タリタル以上、依然競売ノ場合ニ付地上権者ト看做サルベキ地位ニアルモノト解スルヲ相当トスベク、且此ノ事ハ建物使用ノ都合上之ヲ改築シタル場合ニ於テモ亦同一ニシテ、此ノ場合ニ限リ解釈ヲ異ニスベキ理由アルヲ見ズ。然レドモ上記ノ如ク土地ノミヲ抵当ト為シタル場合ニ於テ抵当権実行ノ際建物ガ依然旧態ノ儘存シタルニ於テハ、其ノ所有者ハ競売ノ場合ニ付当該建物其ノモノノ所有ノ為メニスル地上権ヲ取得スルニ過ギザルモノナルガ故ニ、再築改築等ノ為メ建物ノ状態ニ変更アル場合ニ於テモ其ノ所有者ノ取得スベキ地上権ハ旧建物ノ存シタル場合ニ於ケルト同一ノモノタルベク、即チ其ノ所有者ハ競売ノ場合ニ付旧建物ノ存シタルナラムニハ有シ得ベカリシト同一ノ範囲ニ於テノミ地上権者トシテ当該土地ヲ利用シ得ベキモノト云フベク、其ノ権利ノ存続期間ノ如キモ亦旧建物ノ種類、其ノ存在ノ場合

ニ有スベカリシ状況其ノ他抵当権設定当時ノ事情ヲ斟酌シテ之ヲ定ムルヲ相当トス」（大判昭一〇・八・一〇民集一四・一五四九）。

この点については、古くは右と反対の見解（中島・民法釈義一一五九頁）も、下級審判例（東京控判大二・三・二二新聞八六二・二五）もあった。現に右の原審（東京控訴院）も同様の判断をしていたものである。

建物滅失のままの右の土地に第三者が何等かの使用権を取得し、建物を再築（むしろ新築）した場合も同様に解し得るか。大審院昭和一三年五月二五日判決（民集一七・一一〇〇）はこれを否定するかの如き口吻を示し（抵当権設定者が妻をして再築せしめ、妻と共にその建物に居住する場合に肯定）、学説の反対をうけた（右判決に対する我妻・判民昭和一三年度六九事件評釈参照）。

(2)　再築前に競売が行われた場合にも法定地上権を認むべきかは問題である。【5】の「縦令建物が滅失スルコトアルモ、再築ノ上当該土地ノ利用ヲ継続シ来リタル以上」という口ぶりから推すと、否定するように思われる。しかし我妻教授は法定地上権の理論的根拠として主張されるいわゆる潜在的自己地上権の理論から、これを肯定される（【5】に対する評釈（判民昭和一〇年度九八事件）参照）。

(3)　競売前に建物が一旦朽廃したときは、後に建物が新築されても法定地上権は認められないであろう（借地二Ｉ但書・五Ｉ後段参照）。

二　土地と建物が同一の所有者に属すること

（一）　抵当権設定当時既に地上の建物を第三者が所有している場合は、後にその土地が競売されても、法定地上権は認められない。

【6】「民法第三八八条ハ、同一人ガ土地及其上ニ存スル建物ヲ所有シ其ノ何レカ一方ノミヲ抵当ト為シタルトキハ、其ノ抵当権実行ニ基ク競売アル場合ニ付、其ノ土地ニ法定地上権ガ設定セラルベキコトヲ規定シタ

ルモノニシテ、其ノ土地及建物ハ必ズシモ競売ノ当時ニ至ル迄同一所有者ニ属スルコトヲ要セザルモ、右ノ抵当権ヲ設定スル当時ニ於テハ常ニ同一ノ所有者ニ属スルコトヲ要件ト為シタルモノトス（大正一二年（オ）第二八六号同年一二月一四日当院判決参照＝【9】）。然ルニ原判決ノ確定シタル事実ニ依レバ、訴外Aハ本件宅地ニ付抵当権ヲ設定シタル当時ニ於テハ、其ノ上ニ存スル建物ハ既ニ上告人ニ売渡サレタルモノナレバ、其ノ宅地及ビ建物ハ民法第三八八条ニ所謂同一所有者ニ属シタルモノニ非ズ。故ニ本件宅地ニハ同条ニ依リ抵当権実行ニ因ル競売ノ場合ニ付地上権ガ設定セラレタルモノト云フヲ得ザルモノトス」（大判昭六・五・一四新聞三二七六・七）（大審院は既に古く同趣旨を判示している（大判明三八・六・二六・民録一一・一〇二二）。東京高決昭三一・七・一三（下級民集七・七・一八三七）は土地所有者の養母が建物を所有していても、同一人の所有に準ずるとは認められないとする）。

右の判例は土地所有者がAに建物を譲渡し、その所有権移転登記前に土地に抵当権を設定しその登記を終り、その後建物の所有権移転登記が行われ、ついで抵当権が実行され抵当権者が土地の競落人となつた場合である。甲の土地を乙が借りて建物を建てている場合に、甲がその土地に抵当権を設定し、後に丙がこれを競落したとすると、乙が土地使用を丙に主張し得るかどうかは、多くは乙の借地権の対抗力の問題である。乙に地上権・賃借権の登記（民一七七・六〇五）または建物の登記（建物保護一Ｉ）があれば対抗し得ることはいうまでもなかろう。乙が使用貸借による借主ならば対抗し得ない（大判昭一五・七・一八全集七・二五・一六）。

また、乙がその建物に抵当権を設定し、丙がこれを競落したとすると、丙が土地使用を甲に主張し得るかどうかは、乙の土地利用権の譲渡性の問題である。乙の利用権が地上権ならば、丙は競落の登記（競売三三Ｉ）と共に甲にその地上権を対抗し得るし、賃借権ならば、借地法一〇条が適用され（広瀬・借地借家法一〇九頁(イ)参照）、使用貸借ならば、丙は甲に対抗し得ない。いずれにしても三八八条の適用の余地はない。

（二）　問題は、抵当権が設定されてから競売の時まで、建物と土地とが抵当権設定者（同一人）の所有に止まることを必要とするかである。

(1)　大審院は古くはこれを必要とすると解していた（もっとも大判明三九・三・一九＝〔25〕はやや異色がある）。

（イ）　戊は土地とその上のAないしHの八棟の建物を所有していたが、AないしFの六棟の建物の上に、甲のために一番抵当権、乙のために二番抵当権を設定し、ついでその土地の上に、丙のために一番抵当権、丁のために二番抵当権を設定した。その後さらに戊は右の六棟の建物を乙に譲渡し、それから土地の上の抵当権が実行され、丙がこれを競落した。そこで右の建物の譲受人たる乙は、丙が競落した土地の上に法定地上権を取得したといつて、丙を被告として地上権設定登記請求を訴えた。

原審は土地と建物と両方に抵当権が設定された場合には、三八八条の適用がないといい、乙を敗訴せしめた。乙は原審の判断が従来の大審院判例に反するといつて上告した。大審院は乙のこの主張はいれたが、競売までの間に建物の所有者の変つた場合には、三八八条の適用がないから、原審は結局正当だとした。

【7】　「民法第三八八条ハ土地及ビ其上ニ存スル建物ガ同一ノ所有者ニ属スル場合ニ於テ、其土地又ハ建物ノミヲ抵当ト為シタルトキハ勿論、本件ノ如ク土地及ビ建物ヲ各別ニ抵当ト為シタルトキニモ適用セラルル可キハ上告論旨ノ如クナルモ、土地又ハ建物ノ一方ガ任意ニ売買セラレテ所有者ヲ異ニスルニ至リタル後他ノ一方ガ競売セラルルトキハ、建物ノ所有者ト土地ノ所有者トノ間ニハ、任意売買ノ当時既ニ地上権設定、其他建物

ノ存在ヲ許スベキ借地関係ヲ生ズルヲ常トス。現ニ上告人(実際は先代)ガ本件六棟ノ建物ヲ買取リタル当時、土地ノ所有者タル戊ハ同人ノ為メニ地上権ヲ設定シタル旨ヲ上告人ニ於テ主張スルコト原判決ノ摘示スル如クナレバ、斯ノ如キ場合ニ於テ尚ホ法律ハ抵当権設定者タル土地又ハ建物ノ所有者ガ地上権ヲ設定シタルモノト看做ス理アル可カラズ。是レ同条ノ律意タルヤ、土地ト建物ガ同一ノ所有者ニ属スル場合ニ於テ、抵当権ノ目的タル土地若クハ建物ガ其実行ニ因リ競売セラルルトキハ、二者ノ間ニ如上ノ借地関係ナク、爾後建物トシテ存在スルコト能ハザルハ国家経済ノ不利トスル所ナレバ、之ヲ救済スルニ出タルニ徴シテ明ナル所ナリ。故ニ、原判決ガ同条ノ規定ヲ以テ土地又ハ建物ノミガ抵当ニ供セラレタルトキニ限ルガ如ク判示シタルハ失当ナルモ、土地ト建物ガ競売ニ至ルマデ依然抵当権設定者ノ所有ニ属スルトキニノミ適用セラルベキモノトシ、上告人乙ハ同条ニ依リ地上権ヲ有スルモノニ非ズト判示シタルハ、結局相当ニシテ、本論旨ハ理由ナシ」(大判明四〇・三・一 民録一三・二五八)。

(ロ)　さらに大審院は大正五年四月一三日にも右の判決にならい同じように判示した。

【8】「民法第三八八条ハ、土地及其上ニ存スル建物ガ競売ニ至ル迄依然同一ノ所有者ニ属スル場合ニ於テノミ適用セラルベキ規定ニシテ、土地及其上ニ存スル建物ガ同一ノ所有者ニ属スル場合ニ於テ、其土地又ハ建物ノミヲ抵当ト為シタル後ニ於テ、土地又ハ建物ノ一方ガ所有者ニ依リ任意ニ処分セラレタル後、他ノ一方ノミガ競売セラルル場合ニ適用セラルベキモノニ非ズ。何トナレバ、右後ノ場合ニ於テハ、任意処分ノ際建物ノ所有者ト土地ノ所有者トノ間ニハ、地上権設定其他建物ノ存在ヲ許スベキ土地使用ノ関係ヲ定ムルヲ常トスベキガ故ニ、特ニ該条ニ依リ之ヲ保護スルノ必要ナキガ故ニシテ、又該条ノ旨趣トスル所ハ、土地ト建物トガ同一ノ所有者ニ属スル場合ニ於テ、抵当権ノ目的タル土地又ハ建物ノミガ其実行ニ因リ競売セラルルトキハ、二者ノ間ニ如上ノ借地関係ナク爾後建物トシテ存在スルコト能ハザルニ至ルハ、国家経済ノ不利トスル所ナレ

バ、之ヲ救済スルニ出デタルモノト謂フベキガ故ナリ」（大判大五・四・一三民録二二・七〇五）。【7】及び【8】が、抵当権設定後に建物を譲受ける者は、その際借地権を取得するから、三八八条を適用しなくても困らないかの如くいうのは誤である。けだし、建物の譲受人（乙）はその借地権を以て土地の競落人（丙）に対抗し得ないからである。

(2)　ところが大正一二年に至つて、大審院は右の従来の見解を改めることとなつた。

（イ）　乙は土地とその地上のＡＢＣ三棟の建物を所有していたが、甲に対し土地とＡＢ二棟の建物の上に抵当権を設定し、その後Ｃ建物を丙に譲渡した。さらにその後甲の右の抵当権が実行され、甲が土地を競落し、丙がＡＢ二棟の建物を競落した。丙がＡＢ建物の敷地について法定地上権を取得したことは、甲も争わない。しかしＣ建物の敷地及びその周囲を合わせて三九坪については、丙は法定地上権を取得しないと主張し、甲は丙に対しその土地明渡を請求した。原審は従来の判例に従い（表現からみると〔8〕にならつたものであろう）、

「土地及建物ガ同一ノ所有者ニ属スル場合ニ於テ、其土地又ハ建物ノミヲ抵当ト為シタル後土地又ハ建物ノ一方ガ所有者ニ依リ任意処分セラレ、他ノ一方ノミ競売セラルルトキハ、同条（三八八条）ヲ適用スベキモノニ非ザルガ故ニ、控訴人（丙）ガ任意ニ買受ケタルＣ建物ノ敷地及其建物ノ利用ニ必要ナル地所タル三十九坪ノ宅地ニ付テハ、地上権ヲ取得シタルモノニ非ズ」

といい、甲の請求を認めた。

（ロ）　そこで丙が上告し要旨次のように主張した。1．土地と建物とが同一所有者に帰属するこ

とは、法文の要求するところではない。2・かかる場合にも丙のため法定地上権を認めなければ、建物の競落人たる丙の不利益であり、建物の存立を保護しようとする三八八条の趣旨が通らない。3・乙がC建物を丙に譲渡しないで所有しておれば、法定地上権を取得したわけであるから、丙はC建物と共に乙のこの地位をも承継したとみるべきである。4・かく解することは、C建物を抵当権からはずして保留し、ついでこれを丙に譲渡した乙の意思に適合すること勿論であるが、抵当権者甲にとっても、決して予期に反しない。けだし、甲はC建物を除いて抵当権を取得したとき、将来何人かが地上権を取得することを覚悟していたはずである。

大審院は民事連合部を開き従来の見解を改め、破毀差戻をした。

【9】　「土地及ビ其ノ上ニ存スル建物ノ所有者ガ土地又ハ建物ノミヲ抵当ト為シ、其ノ一ガ抵当権ニ基キ競売セラレ二者其ノ所有者ヲ異ニスルニ至リタル場合ニ於テ、建物ノ所有者ハ土地使用ノ権利ナキノ故ヲ以テ建物ヲ収去スルヲ免レズト為サンカ、建物ノ利用ヲ害シ一般経済上不利ナルコト論ヲ俟タズ。民法第三八八条ハ此ノ不利ヲ避ケンガ為ニ建物所有者ニ地上権ヲ附与シタルモノナレバ、土地ノミヲ抵当ト為シタル場合ニ於テハ、同条ニ依リ地上権ヲ有スベキ者ハ競売ノ時ニ於ケル建物所有者ナラザルベカラズ。其ノ抵当権設定者タルト否トハ問フ所ニ非ズ。本件宅地ハ其ノ所有者乙ガ被上告人甲ノ為ニ抵当ト為シタルモノニシテ、競売ノ結果甲ノ所有ニ帰シ、宅地ノ上ニ存スルC号建物ハ宅地ヲ抵当ト為シタル当時ニ在テハ乙ノ所有ニ属セシモ、其ノ後上告人丙之ヲ買取リ宅地競売ノ当時ハ丙ノ所有ニ属シタレバ、正ニ民法第三八八条ノ適用ヲ見ルベキ場合ニ該当シ、丙ハ同条ニ依リ本件宅地ノ上ニ地上権ヲ有スベキ者ナリ。故ニ原院ガ、同条ハ抵当ト為シタル土地又ハ建物ノ競売ニ至ル迄、二者ガ依然同一所有者ニ属スル場合ニ限リ適用アルベキモノナリトノ見解ノ下ニ、上

告人丙ノ地上権取得ヲ否定シタルハ固ヨリ正当ナラズ。然リ而シテ原院ガ丙ニ本件宅地ヲ占有スルノ権利ナシトシテ丙ノ占有ヲ不法ナリト為シタル所以ノモノハ、主トシテ丙ヲ以テ前記法条ニ依リテ地上権ヲ有スベキ者ニ非ズト見タルノ点ニ存スルコト、其ノ論旨ニ徴シ之ヲ窺知シ得ベケレバ、上告人丙ヲ以テ不法ニ本件宅地ヲ占有スルモノトシテ被上告人甲ノ請求ヲ是認シ、上告人丙ニ命ズルニ、本件宅地中C号建物ノ敷地及該建物ノ利用ニ必要ナル部分ノ明渡及不法占拠ニ因ル損害ノ賠償ヲ以テシタルハ、違法ノ裁判タルヲ免レズ。原判決中ノ此ノ部分ニ対スル上告ハ結局理由アリ。但民法第三八八条ノ適用ニ関シテハ当院モ従来原院ト同一ノ見解ヲ採リタルヲ以テ（明治四〇年三月一一日及大正五年四月一三日ノ当院判決（〔7〕〔8〕）参照）、裁判所構成法第四九条ニ依リ民事ノ総部聯合審理ノ上右ノ如ク評決ス」（大判大一二・一二・一四民集二・六七六）。

（ハ）この判決の理由は余りにも簡単でいささか物足りないが、【7】及び【8】の右の誤を正し、三八八条の立法趣旨にそうものであつて、当時学説も支持をおしまなかつた（平野・志林二六巻二九三頁評釈、田中（誠）・判民一二三事件評釈）。

(3)　右の連合部判決の事案は、1・土地に抵当権を設定した後に建物が譲渡された場合であるが、競売の時まで建物と土地とが抵当権設定者（同一人）の所有に止まることを必要とするかという点からいえば、他の場合もあり得る。2・建物はそのままで、抵当権の設定された土地が譲渡された場合、3・建物に抵当権が設定され、抵当権の設定されなかつた土地の方が譲渡された場合、4・土地はそのままで、抵当権の設定された建物が譲渡された場合、5・抵当権が土地のみに設定されたると、建物のみに設定されたるとを問わず、土地も建物もそれぞれ譲渡された場合、などが考えられる。大審院昭和八年三月二七日判決＝【27】は3・に当る例、昭和八年一〇月二七日判決（民集一二・二六五六）は5・に当る例といえよう。昭和七年一〇月二一日判決＝【3】及び昭和一七年四月八日判決（新聞四七七七・一四）は1・に当る例である。いずれも法定地上権が認められ、この点においては、判例理論として確定し、学説も異論をみないところである。

(4)　右の1・ないし5・のような場合には、いずれにしても建物と土地との所有者が異なるに至つたときに、多くは建物のために借地権が成立するであろうが、右のような判例理論の動向からいえば、この借地権の強弱（例えば地上権か、賃借権か）、あるいは存続期間の長短に関係なく、いずれの場合にも競売の際に別に法定地上権が成立することとなる。右の昭和八年一〇月二七日判決は五〇年の約定地上権が消滅し、法定地上権が成立するという事例である。

逆に既に約定されている借地権が弱い賃借権であつても、競売と共にこれが消滅して強い法定地上権が成立するという判例は見当らないが、同じ結果を認むべきであろう。しかしその賃借権が競売の当時には、地代の滞納による解除、その他の理由により消滅している場合でも、なおかつ法定地上権が認められるかは問題であろう（従前の借地権が地上権である場合でも同じ問題は生ずる）。抵当権設定当時に存在した建物が滅失し、再改築したときにも法定地上権を認めた【5】が「当該建物カ抵当不動産ノ競売前既ニ朽廃シタル場合ハ格別ナルモ」などといつているところから推すと、判例の動向としては、建物が収去されてから競売が行われたときは、法定地上権を認め難いこととなり、たとえ敷地の借地権が消滅していても建物収去前ならば、やはり法定地上権が認められそうである（大判昭一四・七・二六民集一八・七七二では賃借権が賃料不払のため消滅していたが、上告審では問題とならなかつた）。建物の存在を完うさせるという見地からはこの結果で差支ないが、抵当権者の予期という点からいえば、前の場合にも従前の建物を標準として抵当権設定者（土地の所有者が競売までに変つているときは競売当時の土地所有者）に法定地上権を認めて妨げないことになる。しかし建物が存在しなければ、国民経済上はあえてその必要もないともいえる。かくして、前述の通り三八八条の立法趣旨を国民経済上の必要に求めながら、他方抵当権者の予期をも考慮しようとする判例理論によつては、結局一貫した解決には達し得ないことになるが、このあたりに三八八条の文理による解釈の限界が存することを否定できないであろう。

（三）　土地または建物に抵当権を設定する当時には、両方が別々の人に属していたが、競売の当時には両方が同一人の所有に属するようになつた場合に、三八八条の類推を認め得るか。石田博士は肯定される（担保物権法論上巻二六五頁）。大審院昭和一四年七月二六日判決（民集一八・七七二）は、土地と建物とが同一人に属しないとき設定された一番抵当権に基き建物が競売された場合にも、両方がその後同一人に所属するに至つてから設定された二番抵当権のあるときは法定地上権が成立することを認め、言外に右の問題を肯定するようにもみえる。しかし、東京高等昭和三一年七月一三日決定（下級民集七・一八三七）はこれを明かに否定している。

（四）　土地の共有者の一人がその地上の建物を所有する場合にも、この要件を備えるといい得るか。最高裁判所は、これを肯定した東京高等裁判所の判決（昭二六・二・二四下級民集二・二・二六八、第一審宇都宮地方も同様に判断していた）を破毀し、これを認めない。

【10】　「元来共有者は、各自、共有物について所有権と性質を同じくする独立の持分を有しているのであり、しかも共有地全体に対する地上権は共有者全員の負担となるのであるから、共有地全体に対する地上権の設定

には共有者全員の同意を必要とすること原判決の判示前段のとおりである。換言すれば、共有者中一部の者だけがその共有地につき地上権設定行為をしたとしても、これに同意しなかつた他の共有者の持分は、これによりその処分に服すべきいわれはないのであり、結局右の如く他の共有者の同意を欠く場合には、当該共有地についてなんら地上権を発生するに由なきものといわざるを得ないのである。そして、この理は民法三八八条のいわゆる法定地上権についても同様であり偶々本件の如く、右法条により地上権を設定したものと看做すべき事由が単に土地共有者の一人だけについて発生したとしても、これがため他の共有者の意思如何に拘らずそのものの持分までが無視さるべきいわれはないのであつて、当該共有土地については地上権を設定したと看做すべきでないものといわなければならない。しかるに、原審は右と異る見解を採り、根拠として民法三八八条の立法趣旨を援用しているのであるが首肯し難い。けだし同条が建物の存在を全うさせようとする国民経済上の必要を多分に顧慮した規定であることは疑を容れないけれども、しかし同条により地上権を設定したと看做される者は、もともと当該土地について所有者として完全な処分権を有する者に外ならないのであつて、他人の共有持分につきなんら処分権を有しない共有者に他人の共有持分につき本人の同意なくして地上権設定等の処分をなし得ることまでも認めた趣旨でないことは同条の解釈上明白だからである。それ故原審の見解はその前段の判示とも矛盾するものというべく是認できない」（最判昭二九・一二・二三民集八・一二・二二三五）（現在ではこれが法定地上権に関して唯一の最高裁判所の判決であろう）。

三　土地又は建物の一方だけに抵当権を設定したこと

三八八条は「土地又ハ建物ノミヲ抵当ト為シタルトキハ」といつているから、これを文字通り解釈すればこの要件を必要とする。しかし大審院は、この点については、古くから拡張解釈を行い、土地と建物の両方に同時に抵当権が設定された場合でも差支ないとしていた。この点は現在では学説も異論がないが、以前には反対説もあつた（富井・民法原論五八八頁、三潴・全訂担保物権法五九七頁）。

（一）　土地と建物を併せて抵当とし、この両方が同時に競売された場合、別々の人に競落されれば、法定地上権が成立する。

【11】　「民法第三三八条ハ、土地及ビ其上ニ存スル建物ガ同一ノ所有者ニ属シ、其者ガ単ニ其土地又ハ建物ノミヲ抵当ト為シタルトキニ於テノミ、競売ノ場合ニ付地上権ヲ設定シタルモノト看做サルルガ如シト雖モ、単ニ土地又ハ建物ヲ抵当トシタルニアラズシテ此等両者ヲ併セテ抵当ト為シタルモ、競売ノ際土地ト建物トガ競落人ヲ異ニスル場合ニ於テモ、其土地ノ上ニハ其建物ノ為メニ当然地上権ノ設定アルモノトス。若シ此ノ如キ場合ニ於テ建物ノ競落人ノ為メ地上権ナキモノトスルトキハ其競落人ハ之ヲ競落スルヤ直チニ取毀タザル可カラザルニ至ル可シ。然ルニ民事訴訟法又ハ競売法ニ依リ抵当権ノ目的タル建物ヲ競売スル場合ニ於テ、其ノ建物ハ第一点ニ説示スルガ如ク特ニ取毀ノ為メ競売スル場合ノ外ハ不動産トシテ競売スルモノナレバ、之ガ存立ヲ認メ其競落人ノ為メ地上権ノ設定セラレタルモノトスルハ当然ナリ。否ラザレバ建物ノ競落人ハ莫大ノ損失ヲ被フルノミナラズ、国家経済モ不利益ヲ受ケ亦間接ニ抵当権者モ損失ヲ被フルニ至ル。而シテ此場合ヲ単ニ建物ノミヲ競落シタル者ヨリ観察スルトキハ、原抵当権設定者ガ単ニ此建物ノミヲ抵当ト為シタルト一般ナルヲ以テ、本件ノ如ク特ニ取毀ノ為メニ競売シタルニ非ザル場合ニ於テハ、建物ノ競落人ハ民法第三八八条ニ依リ其建物ノ為メ地上権ヲ有スルモノトス」（大判明三八・九・二二民録一一・一一九七）。

（二）　土地と建物を併せて抵当とし、土地あるいは建物の一方だけが競売された場合でも同様である。

【12】　「民法第三八八条ハ其文字ニ拘泥スルトキハ……其土地及ビ建物ヲ併セテ抵当ト為シタル場合ハ之ヲ予想セザルモノノ如シト雖モ、主トシテ国家経済上ノ理由ニ基キ建物ノ廃滅ニ帰セザランコトヲ希望シタル同条立法ノ趣旨ニ鑑ミルトキハ、其土地及建物ヲ併セテ抵当ト為シタル場合ニ於テモ、競売ノ際単ニ其土地又

ハ建物ノミ競売セラレタルトキハ、尙同条ヲ適用スベキモノト解スルヲ相当トス。是レ本院ガ従来判例トシテ是認スル所ナリ」（大判明四三・三・二三民録一六・二三三）（大判昭一〇・一一・二九＝〔19〕もこれを援用し同趣旨である）。

（二）　土地と建物とを併せて抵当とし、この両方が同時に競売され、同一人が両方の最高価競買人となつたが、建物については競落が許可されなかつた場合も同様である。

【13】　「同一ノ所有者ガ其ノ所有ノ土地及地上ノ建物ヲ併セテ抵当ト為シタル場合ニ於テ、競売ノ結果其ノ両者ニ付同一人ガ最高価競買人ト為リタルモ、建物ノ競落ハ許サレズシテ結局土地ノミガ競落セラレタルトキハ、民法第三八八条ニ依リ其ノ建物ノ為ニ地上権ノ設定アルモノトナルコトハ当院判例ノ趣旨トスルトコロニシテ（明治三八年（オ）第五二一号同三九年二月一六日言渡判決、明治四二年（オ）第四一六号同四三年三月二三日言渡判決＝【12】）今之ヲ変更スベキ理由ヲ見ザルガ故ニ、被上告人ガ其ノ所有ノ本件土地建物ニ付K銀行ノ為ニ抵当権ヲ設定シ、其ノ抵当権実行ノ結果上告人ガ一旦土地建物全部ノ最高価競買人ト為リタルモ、土地競売代金ヲ以テ抵当債務ヲ弁済スルニ十分ナリシ為、裁判所ハ土地ノミノ競落ヲ許シ建物ノ競落ヲ許サザリシコト所論ノ如クナルニ於テハ、建物ノ所有者タル被上告人ハ其ノ所有（敷地？）ニ付法定地上権ヲ取得スルモノト云ハザルベカラズ」（大判昭六・一〇・二九民集一〇・九三一）。

右の事案で裁判所は民訴六七五条一項を準用し、建物につき競落を許さなかつたため（競売法三二条は右の民訴六七五条を準用していないが、準用すべきものとされる（大決昭八・七・七民集一二・二〇二九））、競落人は競落が許可されて所有権を取得した土地につき、地上権の制限をうけることとなり、これは意外とする場合が多いであろう。この場合には、右の不許可決定に対する即時抗告（競売三二Ⅱ、民訴六八〇以下）は困難であろうが、一般の規定による保護（民五六八・五六六）はうけ得る余地がある（〔5〕に対する我妻・判民昭和一〇年度九八事件評釈参照。但し反対の古い下級審判例がある（大阪地判明四一・七・八新聞五二八・一六））。右判決の引用する明治三九年二月一六日判決（民録一二・二〇二）は、両方が同一人に競落されたが後に一方のみ競落を取消された事案である。

（四）　土地と建物に各別に抵当権を設定した場合はどうか。【13】は同一債権者に土地と建物とを共同抵当とした場合であり、【11】【12】もそうらしい。

(1)　同じように両方に抵当権を設定した場合でも、例えば戊が土地は甲債権者のために抵当権を設定し、ついで建物は乙債権者のために抵当権を設定した場合はどうかが一応問題となる。この場合にまず建物が競売されて丙が競落したとすると、丙は戊に対し法定地上権を取得する。その後さらに土地も競売されて丁が競落したとすると、丙は右の法定地上権を丁に主張し得るか（それぞれ対抗要件を備えたとする）。判例はこれを否定し、丙は土地競落の際あらためて丁に対し法定地上権を取得するにすぎないとする。

【14】　「後記目録記載ノ土地及ソノ地上ニ存スル木造瓦葺平家一棟建坪二四坪五合等数棟ノ建物ヲ所有シ居タル訴外戊ガ、被控訴人（甲）主張ノ如ク、大正一三年二月一五日被控訴人（甲）ノ為ニ右土地ニツキ抵当権ヲ設定シ、同月一九日ソノ登記ヲ経由シ、次デ同年八月一一日訴外乙ノ為ニ右建物ニツキ抵当権ヲ設定シ、翌一二日ソノ登記ヲ経由シタルトコロ、ソノ後被控訴人（甲）主張ノ如ク、右土地及建物ニツキ抵当権ノ実行アリテ、昭和一一年一月二三日控訴人（丙）ガ先ヅ右建物ヲ競落シ、同年四月一五日ソノ所有権移転登記ヲ経由シ、次デ同年五月一三日被控訴人（丁＝甲）ニ於テ右土地ヲ競落シ、同年七月一六日ソノ所有権移転登記ヲ経由シタルコトハ、当事者間ニ争ナキトコロナリ。右事実ニ徴スレバ、控訴人（丙）ハ昭和一一年一月二三日本件建物ノ競売ニヨリ土地所有者タル戊トノ間ニ民法第三八八条ノ所謂法定地上権ヲ取得シ、且ソノ所有権移転登記ヲ経タル昭和一一年四月一五日以降ハ第三者ニモ対抗シ得ベキモノト認ムベキモ、右地上権ノ取得ハ、右建物ノ要地タル本件土地ニツキ抵当権設定登記アリタル大正一三年二月一九日ヨリ後ニ属スルコト前記認定ノ

如クナルヲ以テ、控訴人（丙）ハソノ地上権ヲ以テ本件土地ノ抵当権者タル被控訴人（甲＝丁）ニ対抗スルコトヲ得ザルモノト云フベク、被控訴人（甲＝丁）ガ土地ノ抵当権ヲ実行スルト共ニ、控訴人（丙）ノ右地上権ハ効力ヲ喪ヒテ消滅シ、昭和一一年五月三日被控訴人（丁＝甲）ノ土地競買ニヨリ控訴人（丙）トノ間ニ新ニ法定地上権発生シタルモノト認メザルベカラス。従テ控訴人（丙）ガ曩ニ取得シタル法定地上権ハ、被控訴人（丁＝甲）ニ承継セラルル旨ノ控訴人（丙）ノ主張ハ採用スルニ由ナシ」（東京控判昭一五・九・一一新聞四六一〇・一四）。

東京民事地方昭和一四年一二月二八日判決（新聞四六一六・七）も同趣旨である。

(2)　右の例で土地が先に競落されたらどうか。この場合にはその競落と同時に戊が丁（土地の競落人）に対し法定地上権を取得することは疑がない。地上権には譲渡性があるから（民法には規定がないが判例・通説の認めるところ）、後に建物を競落した丙は戊の有する右の法定地上権をも承継取得し、これを以て丁に対抗し得ると解すべきであろう（一般に地上権を伴う建物の競落人が競落によりその地上権をも取得し、土地所有者に対抗し得るとの点については、戒能・判民昭和一二年度二一事件評釈参照。なお前述二(一)）。ただ丙には建物競落と同時にあらたに丁に対し法定地上権取得の要件が備わることになるから、丁に対し新旧いずれの法定地上権を主張するも妨げないであろう。

四　競売が行われること

(一)　法定地上権が成立するのは、土地または建物に対する抵当権が実行され競売（任意競売）が行われる場合に限るか。あるいは、かかる任意競売が行われれば当然法定地上権が成立する要件が備わっておりさえすれば、一般債権者の申立による当該土地または建物に対する強制競売、ないしは滞納処分としての公売が行われ、競落人・買受人が現われ、土地と建物の所有者が異なるに至った場合にも成立するか。法文の上からはむしろ前の場合に限るようにもみえるが（現に次の〔15〕の原審も同様に解していた）、判例はこの点においても、法定地上権の成立を認めるといつてよい。

【15】「民法第三八八条ニ所謂競売ノ場合トハ、啻ニ抵当権実行ノ為メニ競売アリタル場合ノミナラズ、抵当権者ニ非ザル他ノ債権者ノ申立ニ因リ強制競売アリタル場合ヲモ包含スル旨趣ナリト解スルヲ相当トス。蓋同条ノ規定ヲ設ケタル立法ノ旨趣ハ、土地ト其上ニ存スル建物ガ同一ノ所有者ニ属シ其土地又ハ建物ノミヲ抵当ト為シタル場合ニ於テ、其土地又ハ建物ノミノ競売アリタルトキハ土地ト建物トハ各別ニ所有者ヲ異ニスルニ至リ、従ツテ若シ此規定ナクンバ、建物ノ所有者ハ当然其建物ヲ所有スル為メ土地ヲ使用スル権利ヲ有セザルニ至ル可ク、其結果ハ啻ニ建物所有者ノ利益ヲ害シ延テ抵当権者ニ損失ヲ及ボスコトアルノミナラズ国家経済上甚ダ不利益ナルヲ以テ、斯ル不利益ナル結果ヲ生ゼザラシメンガ為メニ外ナラズ。而シテ其競売ハ抵当権実行ノ為メニ行ハレタルト、将タ抵当権者ニ非ザル他ノ債権者ノ申立ニ基ク強制執行ノ為メニ行ハレタルトヲ問ハズ、等シク如上ノ関係及ビ結果ヲ生ズルコト明瞭ニシテ、彼此区別スル立法ノ理由アルヲ見ザレバナリ。故ニ同条ノ解釈ニ関スル原判決ノ理由ハ失当タルヲ免レズ」（大判大三・四・一四民録二〇・二九〇）。

下級審判決には公売の場合につき同趣旨のものがある。

【16】「土地ノ競売ガ国税滞納処分ニ因リタル場合ト雖モ亦民法第三八八条ニヨリ建物ノ為メ、其土地ニ付キ競落ト同時ニ地上権ノ設定アルモノト看做サザル可カラズ」（熊本区判明四二（月日不詳）新聞六一〇・一一）。

東京地方昭和一〇年四月二六日判決（評論二四民六七六）も傍論ながら同趣旨を判示する。

（二）　土地にも建物にも抵当権が設定されていない場合に、いずれか一方が強制競売されたらどうか。この点は法定地上権を認める理論的根拠とも関連し困難な問題であるが、この場合にも法定地上権を認むべきであるという学説も少数ながら有力である（我妻・福島「抵当権判例法」（時報七・一・五五）がこれを始唱し（我妻・担保物権法一七五頁も同旨）、兼子・強制執行法（新法学全集）二九八頁（強制執行法二五四頁も同旨）、四宮・判民昭和一四年度五四事件評釈がこれに和した）。

従来の判例はこれを認めなかった。

【17】「民法第三八八条ハ土地及其ノ地上建物カ同一所有者ニ属スル場合ニ於テ、其ノ土地又ハ建物ノミニ抵当権ヲ設定シ、競落アリタルトキニ適用セラルベキ抵当権ニ関スル特別規定ニシテ、本件土地ノ如ク何等抵当権ノ設定ナク、単ニ強制競売手続ニ依リ競落アリタルニ過ギザル場合ニハ、其ノ適用ナキコト寸疑ノ余地ナキヲ以テ、之ニ反スル見解ニ基ク所論ハ採用ニ値セザルモノトス」（大判昭一一・四・二二法学五・九・一三五七）。

大審院昭和九年二月二八日判決（新聞三六七六・一三）は、債務名義に基いて強制競売が申立てられた当時には法定地上権を認むべき要件が備わっていたが、競売の当時には抵当権が消滅していた場合につき、その消滅を理由として法定地上権の成立を否定し、右判決と同様の理論を当然前提としているといえる。ところが戦後には、これを肯定する下級審判例が現われた。ただこれという理由が示されないのがいささか物足りない。

【18】「同一人の所有に属する土地およびその上の家屋のうち、その一方が強制競売手続で他人によって競落され、その結果両者が所有者を異にするに至る場合には、その競落不動産になんらの抵当権も存在しない場合においても、なお民法第三八八条を類推してその家屋のため右土地に対して地上権が設定されたとみなすべきものである」（福井地判昭二八・七・三一下級民集四・七・一〇六七）。

(三)　土地と建物のいずれか一方に抵当権が設定されている場合に、抵当権の設定されていない他の一方が強制競売されたらどうか。後に抵当権の設定されている一方が競売されれば、その競落人が普通ならば法定地上権を取得することになるが、それ以前はどうかが問題となる。（二）の場合【18】のように法定地上権が認められるとすれば、右の強制競売の場合も当然認められることになる。しかし【17】のようにこれを否定しても、やはりこの場合は三八八条を拡張し法定地上権を認めるべきではなかろうか。思うに右の強制競売の場合に、建物が競売されるときは土地の抵当権者はそもそも当初から法定地上権を予期しているのであるし、土地が競売されるときでも、競落人はわが国の土地取引の現状においては、予め現地をみて建物の存在も十分考慮にいれた上で競落するであろうから、法定地上権の成立を認めても必ずしも著しくその予期に反するとはいえない。もし土地の競落人がこの結果を意外とするときは、一般の規定による保護（民五六八・五六六）をうけ得る（前述三(三)参照）。

（四）　他の要件が備わっていても、土地あるいは建物の一方が任意に譲渡され、その所有者を異にするに至つたような場合、法定地上権の成立は問題にならないことは明かである。この趣旨の古い下級審判例がある（大阪地判明四三（月日不詳）新聞六五五・一六）。最近、財産税納税のための物納は国に対する任意譲渡であるとし、同じように法定地上権の成立を否定した東京高等裁判所の上告審判決がある（昭二八・三・三〇民集六・三・一〇〇）。

三　法定地上権の成立とその内容

一　成立時期

判例は、任意競売に関しては、競売法三二条二項が民訴六八六条を準用しないことを理由として、所有権移転の時期を代金支払時としている（大判昭七・二・二九民集一一・三九七、学説は反対が多い（右判決に対する東・判民昭和七年度三五事件評釈参照））。その結果、法定地上権の成立時期も競売代金全額が支払われた時とされる。

【19】「競売法ニ依ル競売不動産ノ所有権ハ、競売代金ノ全額ガ支払ハレタルトキニ於テ競落人ニ移転スルモノト解スベキコトハ、是亦当院ノ従来判例トスル所（大正四年(オ)第八〇六号同年一二月一五日判決）。故ニ抵当権ノ実行ニ因リ建物ヲ競落シタル者ガ、民法第三八八条ニ基キ取得シタル地上権モ、此ノ時ニ於テ設定セラレタルモノト看做スベキハ当然ノ事理ナリト云フベシ」（大判昭一〇・一一・二九新聞三九二三・七）。

二　範　囲

法定地上権の及ぶ範囲は、その建物の利用に必要な範囲に及ぶ。厳格な意味の敷地のみには限らない。

【20】「凡ソ土地ト其上ニ存スル建物トガ同一ノ所有者ニ属スル場合ニ於テ、其土地若クハ建物ノミヲ抵当権ノ目的ト為シタルトキハ、競売ノ結果土地ト建物トハ其所有者ヲ異ニスルニ至リ、為メニ建物ノ所有者ハ土地所有者ノ請求ニヨリ建物ヲ収去セザルベカラザルコトトナルハ、勢ヒ免ルベカラザル所ニシテ、斯ノ如キハ経済上非常ニ不利益ナル結果ヲ生ズルヤ明カナリ。是レ民法ガ第三八八条前段ニ於テ『抵当権設定者ハ競売ノ場合ニ付キ地上権ヲ設定シタルモノト看做ス』ト規定シタル所以ナリトス。由是観之同条ハ畢竟建物ノ所有者ヲシテ其所有ヲ完カラシメンガ為メニ設ケタル規定ナルヲ以テ、建物ノ所有者ガ同条ニ依リ取得スル地上権ノ範囲ハ、必ズシモ其建物ノ敷地ノミニ限定セラルルモノニアラズシテ、建物トシテ利用スルニ必要ナル限度ニ於テハ敷地以外ニモ及ブモノト解スルヲ相当トス」（大判大九・五・五民録二六・一八一三）。

三　地　代

（一）地代は当事者の請求により裁判所が定めることになつているが（民三八八但）、もとより当事者がこれを協定するのはなんら差支ない。

【21】「民法第三八八条但書ノ規定ハ、当事者ガ其協議ヲ以テ地代ヲ定ムルコトヲ禁ズルノ趣旨ニ出デタルモノニアラズシテ、其協議ヲ以テ定メタルトキハ其協定ニ依ルベク其協議調ハザルトキハ裁判所ニ請求シテ之ヲ定ムル法意ナリトス。又同条ニ依リ発生シタル地上権ノ存続期間ヲ定ムルニ付テモ亦異ナルコトナシ。即チ其地上権ハ存続期間ノ定メナキモノナルヲ以テ、民法第二六八条第二項ノ規定ニ従ヒ裁判所ハ当事者ノ請求ニ因リ其存続期間ヲ定ムベキモノナレドモ、其規定モ亦当事者ガ其協議ヲ以テ之ヲ定ムルコトヲ禁ズルノ法意ニ非ズ。従ツテ其協議ヲ以テ定メタルトキハ其協定ニ依ルベキモノトス」（大判明四三・三・二三民録一六・二三三＝〔12〕）。

しかし少くとも協議の余地なしとみられる場合には、裁判所に対する右の地代確定の請求前に協議を行う必要はない（大判昭一四・四・一二法学八・九・一〇五三）。

（二）　裁判所は諸般の事情を斟酌してこれを定めるべきである。

【22】「民法第三八八条但書ニ所謂地代ハ、裁判所ガ地上権設定当時ニ於ケル諸般ノ事情ヲ斟酌シテ之ヲ定ムベキモノニシテ、必ズシモ附近ノ地所ノ賃借料ト同一ノ割合ニ依ルコトヲ要スルモノニアラザルヤ論ヲ俟タズ。本件記録ニ依レバ証人A外二名ハ何レモ係争宅地附近ノ地所ヲ一畝ニ付賃料一ケ年金十円ノ割合ニテ賃借セル旨証言セルコト所論ノ如シト雖モ、原裁判所ハ同証人等ノ証言及鑑定人B外三名ノ鑑定ニ依リテ同証人等ハ何レモ旧来ヨリノ地主ヨリ比較的低廉ノ賃借料ヲ以テ賃借セル事実（一）ヲ認メ、且原裁判所ニ顕著ナル事実タル係争地附近一帯ノ地価ガ近年別府温泉ノ繁栄ニ伴ヒ著シク騰貴シタル事実（二）、及ビ当事者間ニ争ナキ事実タル被上告人ガ係争地ヲ代金一坪ニ付五二円ノ割合ヲ以テ買得セル事実（三）ヲ挙示スルト同時ニ、右鑑定人四名ヲ綜合シテ係争地ノ地代ヲ一坪ニ付一ケ月金一二銭ト定ムルヲ相当ナリト断ジ、叙上（一）（二）（三）

ノ如キ事情存スルガ故ニ係争地ノ地代ヲ右証人等ノ所謂賃借料ト一律ニ定ムルコトヲ得ザル旨説明シタルモノナルコト原判文ノ全趣旨ニ徴シ明瞭ナルヲ以テ」原審は極めて妥当である（大判大一一・六・二八民集一・三五九）。

（三） その効力は判決時以後の地代のみではなく、地上権成立時以後の地代に及ぶことはいうまでもない。

【23】「民法第三八八条但書ニ地代ハ当事者ノ請求ニ因リ裁判所之ヲ定ムルトアルハ、裁判所ガ創設的宣言ニ依リ当事者間ニ権利関係ヲ発生セシムルノ謂ニ非ズシテ、既ニ競売ニ依リ当事者間ニ成立シタルモノト看做サレタル地上権ニ付、裁判所ハ当事者ノ請求ニ因リ唯其地代ノ数額ヲ定ムルニ過ギズ。即チ裁判所ハ地上権設定当時ノ地代ヲ確定スルモノナルガ故ニ、裁判所ガ其数額ニ付キ為シタル確定ノ効力ハ、独リ判決後ニ生ズル地代ニ対スルノミナラズ、地上権設定以後ノ地代ニ及ブベキハ固ヨリ当然ナリ」（大判大五・九・二〇民録二二・一八一三）（同昭一四・一一・二五民集一八・一四六一も同趣旨を判示する）。

（四） 地代決定の標準たるべき事情に変更があったときは、当事者の請求がなくても裁判所は変更の前後の地代を各別に定めるべきである。

【24】「然レドモ民法第三八八条但書ニ依リ裁判所ガ地代ヲ定ムルニ当リテハ、地上権ガ発生シタル後判決ヲ為スニ至ル迄ノ間ニ地代決定ノ標準タルベキ事情ニ変更生ゼザル限リ、地上権発生当時ニ於ケル諸般ノ事情ヲ参酌シテ相当ト認メタル額ヲ以テ該地代ヲ定ムベク、而シテ斯ル場合ヲ以テ通常トスレドモ、若シ地上権ガ発生シタル後判決ヲ為スニ至ル迄ノ間ニ地代決定ノ標準タルベキ事情ニ変更ヲ生ジタル場合ニ於テハ、先ヅ地上権発生当時ヨリ右事情変更発生ニ至ル迄ノ地代ハ、右ト同様ノ方法ニ依リ之ヲ定メ、次デ右事情変更発生後ノ地代ハ、該変更シタル事情ヲモ参酌シテ相当ト認メタル額ヲ以テ之ヲ定ムベク、其ノ際土地所有者又ハ地上

権者ヨリ相手方ニ対スル地代増減ノ請求アルコトヲ必要トセザルモノトス。然リ而シテ当該地代ガ一度判決ニ依リ定マリタル以上、上告人某ノ杞憂スルガ如ク（上告理由第四点後段参照）爾後地代決定ノ標準タルベキ事情ニ変更生ジタリトノ一事ノミニヨリ地代ノ増減ヲ請求シ得ベキモノニハ非ズ」（大判昭一六・五・一五民集二〇・五九六）。

地代が右の如くして確定してからでも、さらに借地法一二条による地代増減の請求は許される（〔24〕に対する山木戸・民商一四巻五号八〇二頁批評、来栖・判民昭和一六年度四〇事件評釈参照）。

四　対抗力

法定地上権の対抗力は一般原則によるべきであるが、判例は多少動揺している。

（一）　法定地上権成立時の当事者間においては、特別にその対抗要件を必要としない（大判明三九・三・一九＝〔25〕は抽象論としてこれを認める）。

（二）　法定地上権者が土地のその後の譲受人に対抗し、あるいは法定地上権の譲受人が土地所有者に対抗するには、いずれも対抗要件を必要とする。

(1)　建物保護法施行（明四二・五・一）前においては、家屋所有者は法定地上権を取得しても、その登記をしないうちに、土地が第三者に譲渡されるとこれに対抗できなかつた。

【25】　「本条（三八八条）ノ規定ニ依リ地上権ヲ得タル建物ノ所有者ハ、地上権ノ登記ナクシテ其権利ヲ土地ノ所有者即チ地上権ヲ設定シタル土地ノ所有者ニ対シテハ勿論、競落ニ因リ土地ノ所有権ヲ取得シタル者ニ対シテ対抗シ得ルモノトス。………（しかしながら、不動産物権の移転には登記を対抗要件とするのが一七七条に規定する一般原則である）………原院ガ認定シタル事実ニ依レバ、訴外者丁ハ本訴土地及ビ其上ニ存スル

建物ノ所有者ニシテ、甲ノ為其土地ノミヲ抵当ト為シタル後明治三七年二月一五日建物ヲ被上告人乙ニ売渡シ、乙ハ同日建物所有権取得ノ登記ヲ為シ、明治三七年三月二六日ニ至リ甲ハ競落ニ因リ抵当土地ノ所有権ヲ取得シ、其後丙ハ甲ヨリ該土地ノ所有権ヲ取得シ乙ニ対シ該土地ノ明渡シヲ請求シタルニ、乙ハ地上権ノ登記ヲ為サズシテ之ヲ丙ニ対抗シ以テ本訴土地ヲ使用セントスル者ナリ。前掲事実ニ依レバ乙ノ地上権ハ明治三七年三月二六日抵当土地ノ競売トナリタル際、抵当権設定者タル丁ノ意思ニ依リ民法第三八八条ニ基キ設定セラレタルモノト認メザルベカラズ。故ニ乙ニ於テ自己ノ取得シタル地上権ヲ其設定者丁及ビ抵当土地ノ競落人甲以外ノ第三者タル丙ニ対抗センニハ、民法第一七七条即チ不動産ニ関スル物権ノ得喪ニ付キ第三者ニ対スル一般ノ原則ニ従ヒ其登記ヲ為サザルベカラズ。其登記ヲ為サザルニ於テハ之ヲ丙ニ対抗シ得ザルコト同条ノ規定スル所ナリ」(大判明三九・三・一九民録一二・三九一)。

建物保護法施行後については適切な判例が見当らないが、一般原則により右の判決の事案の場合、乙は丙に対抗し得る。

(2)　建物と共に法定地上権を譲受けた者はいかにして土地所有者に対抗し得るか(法定地上権の目的建物の譲受人は反対の意思表示なき限り地上権をも取得する(大判大一〇・一一・二八民録二七・二〇七〇))。

(イ)　はじめ大審院は、建物の移転登記があれば建物保護法により対抗し得ることを問題としないで、地上権取得の登記なき限り対抗し得ないとした。

【26】　「上告人ハ民法第三八八条ニ依リ地上権ヲ取得シタルモノニ非ズシテ、同条ニ依ル地上権取得者ヨリ更ニ其地上権ノ譲渡ヲ受ケタリト主張スルモノニ過ギズ。而シテ同条ニハ抵当権設定者ハ競売ノ場合ニ付キ地上権ヲ設定シタルモノト看做ストアリテ、其地上権ハ法律ノ擬制ニ因リ恰モ抵当権設定者ト競落人トノ間ニ於

テ之ヲ設定シタルト同一視スルモノナレバ、抵当権設定者ト競落人トハ地上権設定ノ当事者ニ相当シ、両者間ニ於テハ地上権ヲ主張スルニ付キ登記ヲ要セザルコト言ヲ俟タズト雖モ、上告人Yト被上告人Xトハ同条ニ依ル地上権設定ノ当事者ニ非ザルコト叙上ノ事実ニ依リ明白ナレバ、Yハ右地上権ヲ譲受ケタリトスルモ其登記ナキ限リハ第三者タルXニ対抗スルコトヲ得ザルモノトス。故ニ原裁判所ガYノ地上権取得ニ付キ登記ナキ事実ヲ確定シ、Yヨリ其地上権取得ヲ以テXニ対抗スルコトヲ得ザル旨判定シタルハ正当」（大判大三・四・一四民録二〇・二九〇＝[15]）。

（ロ）　ところが後には、建物の取得登記あれば対抗し得るとしたことがある。

丁は土地及び建物を所有しているうちに、建物に抵当権を設定、ついで土地を甲に譲渡した。その後右の抵当権が実行され、乙が建物を競落、さらに丙がこれを譲受けた。丙は乙から承継した法定地上権を甲に対抗し得るかが問題となる。

【27】「建物ノ所有ヲ目的トスル地上権ニ因リ、其ノ土地ノ上ニ登記シタル建物ヲ有シ、従テ該地上権ヲ以テ第三者ニ対抗シ得ベキ地上権者ヨリ地上権並建物ヲ譲受ケ且建物所有権ノ取得登記ヲ為シタル者ハ、明治四二年法律第四〇号建物保護法第一条ノ適用ニ依リ、地上権取得ノ登記ヲ為スコトナク之ヲ以テ第三者ニ対抗シ得ベキコトハ、夙ニ当院ノ判例トスルトコロニシテ（当院大正一五年(オ)第九七六号同年一二月二〇日言渡判決参照）、今之ヲ変改スベキ要ヲ見ズ」（大判昭八・三・二七新聞三五四三・一一）（大判昭八・一二・二三全集二・二九も同趣旨である）。

（ハ）　しかるに再転し、土地の競落人は法定地上権を取得した者に対し、地上権の登記に協力すべき義務があるから、民法一七七条の第三者には該当しないといい、建物登記を問題とせず対抗し得るとなすに至つた。

丁は土地及びその上に未登記の建物を所有していたが、土地の上に甲のために抵当権を設定した。

この抵当権が実行されて乙が土地を競落し、丁は法定地上権を取得した。丁はその登記をしないまま建物と法定地上権を丙(丁の子)に贈与し、丙は建物の保存登記をした。丙がその地上権を以て乙に対抗し得るかが問題となる。

【28】「原審ノ確定シタル事実……ニ依レバ、右乙ハ本件地上権ニ対スル登記義務者ニシテ民法第一七七条ニ所謂第三者ニ該当セザルコト言ヲ俟タザルガ故ニ、右地上権ノ移転ニ付登記存セズトスルモ、地上権者タル丙ハ其ノ登記義務者タル乙ニ対シ右地上権ヲ対抗シ得ベク、従テ丙ガ本件建物ヲ乙所有ノ本件地上ニ所有スルニ付キ他ニ特別事由ノ存セザル限リ正当権限アルモノト謂ハザルベカラズ」(大判昭一二・六・五民集一六・七六〇)。

右の判決に対しては、多数説がこの場合には建物保護法による対抗力を認めるべきであるといって、非難を加えたにかかわらず(我妻・判民昭和一二年度五三事件評釈参照)、大審院は右の見解を改めず同趣旨の判決を繰返している(昭一三・一一・二六新聞四三五五・一二、昭一五・二・二〇同四五三九・七、広瀬・借地借家法一一頁(b)参照)。

四　法定地上権の存続期間とその消滅

一　存続期間

法定地上権の存続期間については、民法に特別の規定がないので、その定めがないものとして、二六八条二項の規定に従い当事者の請求により裁判所が決定すべきものとされていた(大判明四三・三・二三＝〔21〕)。しかし現在借地法のもとにおいては、通常の場合と同様に建物の種類・構造の如何によって六〇年又は三〇年となる(我妻・有泉「民法総則・物権法」五二〇頁参照)。勿論当事者が協定することは地代の場合と同様に差支ないが、借地法二条二項により制約されることはいうまでもない。この存続期間は、競売の時から始まると解すきである（〔19〕参照。柚木教授は抵当権設定の時からとされるが、これは法定地上権の成立には抵当権設定当時建物の存在を必要としないとされる結果である（〔5〕に対する前掲の批評参照））。

二　消　滅

法定地上権が、地上権一般の消滅原因である土地所有者の解除（民二六六Ⅰ・二七六）、地上権の放棄（民二六八Ⅰ。二六六Ⅰ・二七五は適用があるまい）、適法な約定消滅事由により消滅することはいうまでもない。

判例は、判決により地代が確定したときは、地上権者が地主の請求をうけるもその前後を通じ二年以上引続いて地代を支払わないときは、土地所有者の請求により法定地上権は消滅するという。

【29】「二七六条ニ所謂引続キ二年以上支払ヲ怠ルトハ、支払ヲ怠ルコト継続シテ二年以上ニ及ブノ謂ニシテ、地上権ニ於テハ、地上権者ガ其ノ責ニ帰スベキ事由ニ依リ継続シテ二年分以上地代ノ支払ヲ延滞スルヲ謂フモノナルコト上告人所論ノ如ク、従テ当事者間ニ地代ノ協議調ハザル為メ若クハ地代指定ノ訴訟繋属中ニテ未ダ地代確定セザル為メ、地上権者ガ地代ノ支払ヲ為サザル場合ニハ、直チニ以テ地代支払ニ付地上権者ニ延滞ノ責アリト為シ難キモ、既ニ裁判上地代ノ確定セラルルニ及ビテハ、地上権者ハ地主ノ請求ニ従ヒ地上権設定以後ノ地代ヲ支払フコトヲ要スルヤ勿論ニシテ、若シ其ノ支払ヲ為サザルトキハ設定以後ノ地代ニ付遅滞ヲ生ズルコトヲ免レズ。殊ニ本件ニ於ケルガ如ク地代指定ノ判決確定シ、倘地代支払ノ訴ヲ受クルニモ、従前ノ地代ハ固ヨリ其ノ後数箇月ニ亘リ継続シテ地代ノ支払ヲ為サズ、結局当初ヨリ毫末モ其ノ支払ヲ為サザルニ帰スル上告人ニ対シテハ、地代確定以前ノ不払ヲモ民法第二七六条ニ所謂二年ノ不払中ニ通算シ、以テ同法ノ準用アリヤ否ヤヲ定ムルヲ相当トス」（大判昭一四・八・三一民集一八・一〇一五）。

右の判決で「地主ノ請求ニ従ヒ」地上権者が地代の支払をなさなかつたとき、はじめて設定以後の地代につき遅滞となるといつているが、請求して相当の期間経過するもなお支払がないとき、はじめて消滅を請求し得ると解するのが公平であろう（もとより相当の期間を定めて催告し、その期間内の不履行を停止条件とする消滅の意思表示も有効である）。

附記

本稿の成るに当つては、前掲の我妻先生の聯合部判決巡歴第二五話に負うところが多く、その所説をほとんどそのまま引用した個所も少くない。また文献・資料については、名古屋大学三宅正男教授、岐阜大学服部秀一教授の御好意により、それぞれ同大学の図書借覧の便宜を得ることができたほか、第一法規出版株式会社判例体系編集局の御好意に負うところがあつた。記して謝意を表することとしたい。

抵当権の及ぶ目的物の範囲

於保不二雄

序

この問題については、私は、すでに民商法雑誌上で論じたことがある（九八頁参照）。だから、本稿では、重複を避けるために、大審院の判例の推移をできるだけ客観的に展望することに努めた。理論的なことや判例に対する批判的なことは別稿について参照していただきたい。

この問題も、わが民法がフランス法とドイツ法とを混合的に継受したところから生じたわが民法上の独特の問題の一つである。ドイツ法的な「従物」概念とフランス法的な「附加物」又は「附加一体物」概念とを如何にして調和するかという問題である。判例はかなり変転した。だが、大正八年の大審院民事部連合部判決が一転期を画した。抵当権設定当時における抵当不動産の従物は抵当権の目的となりうることは判例上確立した。しかしながら、「従物」と「附加物」とが明確に分離され、また、民法八七条二項は解釈規定であるとされたために、抵当権設定後抵当不動産に附属せしめられた従物に抵当権が及ぶかという問題に大きな障害を残すことになつた。その後の判例は、この問題の解決のために苦慮を重ねてきている。右の連合部判決が残した障害を打破することが、判例及び学説に課せられた課題である。

一　はしがき

抵当権の目的物は、原則として、不動産である(民三六九)。だから、抵当権の効力が及ぶ目的物の範囲は抵当不動産の範囲であるのが本則である。ところで、民法は、抵当権の及ぶ目的物の範囲について、三七〇条と三七一条との二箇条をおいている。抵当権は、債権担保のために、抵当不動産の交換価値を支配し、究局においては、抵当不動産を換価して債権の優先弁済に充当することを目的としている。だから、抵当不動産に増加又は改良が附加された場合にも、抵当不動産の経済的全価値を獲得しえさしめるために、抵当権は不動産に附加して一体となつた物にも及ぶものとしたのである。また、抵当権は、抵当不動産の使用収益を抵当義務者に留保する非占有担保権であるから、抵当不動産の果実は、抵当権の効力から原則として除外する旨を明かにしたものである。

抵当権の及ぶ目的物の範囲に関する民法の規定の立法趣旨は明かであるが(民法修正案理由書三六六・三六七参照)、仏民法に倣つた旧民法典から独民法典の体系に従つた現行民法典に切換えられるに当つて、一方では、物の構成部分と従物とを概念的に明確に分ちながら(民八七)、他方では、「不動産ニ生スルコト有ル可キ増加又ハ改良」(旧民債担二〇〇)を「不動産ニ附加シテ之ト一体ヲ成シタル物」(民三七〇)というように表現したために、この附加物又は附加一体物の中に従物を含むか否かが問題となつてきた。

物の概念を有体性の上に立つて認めるとすれば(民八五)、法律上は物の構成部分と従物とを区別せざるをえない。だが、従物は法律上は独立の物であるとしても主物に従属し、経済的には主物と従物とは一体をなしている。だから、従物は主物と法的運命を共にせざるをえない(民八七)。ところで、このことは、物権的処分について引渡主義をとる立法の下では、物権的処分については、問題とならない。それは、近代法以前には従物概念はあまり問題とされなかつたこと及び独民法(三一四)が債権契約の解釈規定としていることに徴して明かである。わが民法は、物権的処分についても、質権の設定(三四四)を除き、意思主義を採用している(一七六)。だから、わが民法では、「従物ハ主物ノ処分ニ随フ」(八七Ⅱ)という規定は、債権的処分及び物権的処分を通じて一般的な意味をもつことになる。しかしながら、処分の実行として物の引渡を伴う処分においては、引渡を念頭において処分がなされ、また、引渡の時に実現されて後には問題を残さない。だから、占有の引渡を伴わない抵当権の設定の場合以外では、主物の処分が従物に及ぶか否かという問題は、債権的処分行為の解釈問題に止まることになる。このことから、わが国でも、従物の問題は、債権行為の解釈問題以外では、主として抵当権の効力との関係においで問題とされている。

非占有担保である抵当権は、抵当物の占有を移すことなく、登記を以てその効力要件又は対抗要件としている。だから、抵当不動産を登記することのみで、その附属物について抵当物としての登記がなされていない場合に、抵当権の効力がその附属物にも及ぶか又はその附属物上の抵当権を以て第三者に対抗することができるか、という問題を生ずることになる。そこで、近代的立法においては、この問題を避けるために明文を設けている。そして、抵当物の全経済的価値を統一的に得さしめるために、抵当権は、「総ての改良」(仏民二一三三)又は「総ての構成部分及び従物」(独民一一二〇瑞民八〇五)に及ぶ旨を明かにしている。わが民法三七〇条もこれらの立法における同趣旨の規定である。そして、民法八七条二項が抵当権設定契約の解釈規定であるということと民法三七〇条が抵当権の効力規定であるということとは相妨げるものではない。三七〇条但書前段も「別段の定」をなしうることを予定している。ただ、別段の定は、その登記をしなければ、第三者に対抗することができない（民一七七、登一一七）。そしてまた、抵当権の及ぶ目的物の範囲の対抗力は、解釈規定である民法八七条によるものではなく、抵当権の効力規定である民法三七〇条に基くものである。

　抵当権の及ぶ目的物の範囲に関する民法三七〇条の規定を以上のように理解するときは、抵当不動産に附属する物が独立性を有するか否か、物の構成部分であるか従物であるかの区別、物の一体性は如何うして決定するかなどの詮議は重要性をもたないことになる。抵当権は、抵当不動産の経済的価値を一体的に把握することを目的とする権利であるから、抵当不動産に附属する物がどの範囲まで経済的一体をなすものとするのが妥当であるかを決定すれば、それで必要かつ十分であるということになる。わが国の判例には、このような考え方が基本的にはあるように思われる。ただ従物概念や附属物の独立性にこだわつたり、また、建物について畳建具抜きの裸取引の慣行にまどわされたりしたところがあるようである。また、建物の単一性の論議や競売又は強制執行の効力との関係において問題を紛糾させたところがあるようである。

　わが国の学説は、永い間従物概念にとらわれて、従物を附加一体物から分離していたが、松本博士（「従物又ハ附加物ニ対スル抵当権ノ効力」法律時報昭五年九月号一頁以下）、ことに、我妻教授（「抵当権と従物の関係について」法協五十周年記念論文集第二部四六一頁以下）が、抵当権と従物とに関する比較立法及び立法的沿革並に従物の経済的観念を論ぜられてからは、附加物に従物をも含ましめる見解が漸時多数を加えるようになりつつある（於保「附加物及び従物と抵当権」民商二九巻五号一頁以下参照）。

抵当権の効力が及ぶ抵当不動産の附属物として現実に問題となつている物は、山林抵当の場合の立木、建物抵当の場合の機械器具類、畳建具類及び附属建物などである。これらの物について、通常は、附加物と従物とを区別して取扱つている。だが、現在では、抵当権設定当時の従物は原則として抵当権の目的となることについては判例法が確立しているところでもあり、また、判例の基本的な見解を明確にする趣旨からも、右のような取扱い方をしないで、問題となつている個々の物について判例を整序することにする。

二　抵当権が及ぶ附属物

一　立　木

山林抵当においては、抵当権の効力は抵当土地に生立する樹木にも及ぶ。(1)立木が土地に生立するままの状態においては、抵当権の実行による競落人は立木の所有権をも取得して、債務者又は抵当権設定後の譲受人はこれを否認することはできない。そして、その立木は抵当権設定当時から存したか又は設定後に附加されたものであるかは問わない。(2)立木が伐採された場合については、判例はかなり変動していて必ずしも明確ではない。機械器具や畳建具についての判例とも一脈の関連をもちつつ種々の問題を残している。

（一）立木の状態で競落された場合

【1】競落人が立木の伐採搬出をしようとするに対して債務者から立木所有権確認並に伐採搬出禁止を請求した事案において、次の理由で、債務者の請求を棄却した。

「土地ニ定着シテ之ト一体ヲ為ス樹木ハ不動産タル性質ヲ有スルモノナリト雖モ立木ニ関スル法律ノ適用ヲ受クルモノニアラサレハ土地ト分離シ独立シテ抵当権ノ目的ト為スコトヲ得サルハ同法第二条ノ規定ニヨリ明瞭ナルノミナラス抵当権ハ其ノ目的タル不動産ニ附加シ之ト一体ヲ成シタル物ニ及フ旨ヲ規定シタル民法第三七〇条ニ於テ抵当地上ニ存スル建物ヲ除外シタルニ止マリ其ノ地上ニ存スル樹木ヲ除外セサリシ趣旨ニ徴スルモ蓋疑ヲ容レサル所ナリトス故ニ山林ヲ抵当権ノ目的トナシタル場合ニ其ノ地上ニ生立スル樹木ニシテ立木ニ関スル法律ノ適用ヲ受ケサルモノナル以上ハ特ニ之ヲ除外スル旨ノ意思ヲ表示セサル限リ抵当権ハ単ニ地盤ノミニ止ラス之ト一体ヲ成ス樹木ニモ及フモノナリト解スルヲ相当トス」（大判大一四・一〇・二六民集四・五・二〇二）。

杉之原教授（法協四四・一〇・一五七判民大一四年三九二）は、民法三七〇条は抵当権設定後の附加物に関する規定であると解する通説的見地と、たまたま本件樹木は植栽による樹木の集団であるところから（昭和六年立木法改正前は、同法の適用は植栽による樹木の集団に限られていた）このような樹木の集団は土地の定着物として独立の不動産と解する独自の見解とから、右の判決理由は、引用法条を誤りかつ不完全であると非難していられる。だが、山林抵当において目的物に樹木の集団をも含むか否かは設定行為の意思解釈の問題であり、別段の意思が明かでない本件ではこれをも含むものと解すべきであるとして、結論においては判決に賛成していられる。

【2】山林に抵当権が設定された後にその山林を譲受た者が、抵当権の実行によつて競落したがその競落代金不払のため再競売がなされた。ところが、右の譲受人が山林の引渡しをしないので、再競買人から山林の引

渡及び損害金の支払を請求した。次の理由で土地及び樹木の引渡請求が認められた。

「抵当権ノ目的タル土地ニ附加シテ一体ヲ為シタル樹木ハ設定行為ニ別段ノ定アル場合ニ限リ右抵当権ノ効力ノ及ハサルモノト認ムルコトヲ得レトモ此ノ場合ニ於テモ其ノ登記アルニアラサレハ第三者ニ対抗スルコトヲ得サルノミナラス右設定行為後該土地上ニ附加セラレタル樹木ニ付テハ抵当権ノ効力ヲ排除スヘキ謂レナキコト論ヲ俟タス」（大判昭一三・一二・一三新聞四三六二・一三）。

（二）　立木が抵当権設定後に伐採された場合

（イ）　最初は、立木が抵当権の目的となるのは土地に生立して不動産と目すべき間に限るものであつて、伐採されて動産となるときは抵当の目的から離脱すると解した。もつとも、競売手続が開始するときは、差押の効力を生じて、抵当権の効力に影響を及ぼさないとした。（ロ）後に、競売手続が開始した後であつても、また、競売手続前であつても、立木を伐採搬出することによつて抵当権を侵害するときは、妨害の停止を請求することができるとして、抵当権侵害による妨害排除の問題に転換して、伐木上の抵当権の効力を認めるようになつた。（ハ）もつとも、その後にも、競売手続前に伐木に対して他の債権者が強制執行をした場合について、競売開始による差押の効力の問題に返つた判決がなされている。

【3】　債務者が不法に立木を伐採したにもかかわらず、伐木は動産であるから抵当権の目的とならないとして、伐木に対する抵当権の実行を認めないので、抵当権者から上告したが、左の理由によつて請求棄却。

「立木カ抵当権ノ目的タルハ恰モ動産ヨリ成ル家屋ノ造作カ家屋ノ一部ヲ為セル間ハ不動産タレトモ若シ之ヲ家屋ヨリ引離シタルトキハ動産タルト同シク樹木カ立木トシテ土地ニ生立セル間ニ限ルモノニシテ一タヒ伐採

セラレタルトキハ不動産タル性質ヲ失ヒ動産ト為ルカ故ニ縦令ヒ従来地所ト共ニ抵当権ノ目的タリシト雖モ伐採セラレタル以上ハ抵当権者ハ之レニ対シ抵当権ノ直接ノ目的トシテ其権利ヲ行フコトヲ得ス」そして上告人の物上代位の主張に対しては、「是ハ抵当権ノ本然ノ効力ニ非サルカ故ニ……物ノ払渡又ハ引渡前ニ差押ヲ為スコトヲ要スル旨ノ規定アルモノトス左レハ本件ノ場合ニ於テ抵当権ノ目的タリシ立木ノ伐採セラレタル以上此立木タルヤ不動産トシテハ滅失シタルニ外ナラス故ニ或ハ民法第三七二条ノ規定ニヨル第三〇四条ヲ準用スルコトアル可キモ抵当権者タル上告人ハ伐採後ノ材木ニ対シ依然之ヲ抵当権ノ目的トシテ普通ノ場合ノ如ク其ノ権利ヲ行フコトヲ得ルモノニ非ス」（大判明三六・三・一一民録九・民一三一）。

【4】　債務者から立木を買受けた者が勝手に立木を伐採し搬出するので抵当権者からその禁止を求めた。原審が【3】の判例に従つて請求を棄却したので上告した。上告審は、立木の伐採がたまたま競売開始決定後であつたので、競売開始による差押の効力によつて物上代位の効力を認めて、原判決を破棄した。

「立木カ抵当権ノ目的タルハ土地ニ生立スル間ニ限ル……当院判例ノ存スル所ナリ（【3】）然レトモ是レ唯立木カ抵当権ノ実行ニ先タチ土地ト分離シテ動産ト為リタル場合ニ於テノミ然ルモノニシテ本件ノ如ク抵当権者カ抵当権ノ目的タル山林ニ対シテ既ニ権利ノ実行ニ着手シ競売ノ開始カアリタル場合ニ於テハ民事訴訟法ニ依ル競売ニ在リテハ土地及ヒ之ト一体ヲ成ス立木ニ対シ差押ノ効力ヲ生シ競売法ニ依ル競売ニ在リテモ之ト同一ノ効力ヲ生スルモノナレハ不動産所有者ハ爾後之カ処分ヲ制限セラルルモノニシテ随テ所有者ヨリ立木ノミヲ買受ケタル第三者ト雖モ抵当権ヲ無視シテ其ノ目的物ノ価格ヲ減少スヘキ行為ヲ為スコトヲ得ス抵当権者ハ其者ニ対シ立木ノ伐採ヲ差止メ得ルハ勿論既ニ伐採シタルモ倘ホ其地上ニ存スル木材ハ仮令性質ヲ変シテ動産ト為リタリトスルモ之カ搬出ヲ拒ミ得ルモノト謂ハサル可カラス何トナレハ如上差押ノ効力ハ斯ノ如キ物ノ性質ノ変更ニ依リテ消長ヲ来タス理ナク又民法第三七二条第三〇四条カ抵当権者ヲシテ物上代位ノ権利ヲ行ハシ

ムル法意ニ鑑ミルトキハ抵当権ノ実行ハ斯ル権利ヲ伴ハシムルヲ当然トスレハナリ」（大判大五・五・三一民録二二・一〇八三）。

【5】　山林抵当の実行によつて競落されたが競落人が代金未納の間に債務者と謀つて立木を第三者に売却し伐採搬出しようとしたので、抵当権者から抵当権存在の確認、妨害排除などの請求をした。原審は、妨害排除の請求部分について、債権が弁済期に達し抵当権を実行しうるに至つたならば、ことに本件の如く競売開始決定がなされてから後は、妨害排除の請求は認容しえないと判示したのに対して、大審院は、左の理由で、この部分を破毀差戻した。【4】の判例は差押の効力によつて妨害排除を認めたが、本判例は、抵当権の効力として妨害排除請求を認めている。

「惟フニ抵当権ニ基ク競売開始決定アリタル場合ニハ其ノ送達ニ因リ債権者ノ為メ差押ノ効力ヲ生スルカ故ニ爾後債務者ノ為ス法律行為ニ因ル処分行為ハ之ヲ以テ債権者ニ対抗スルコトヲ得ス従テ右差押ノ現存スル以上ハ更ニ判決ヲ以テ債務者ノ為ス法律行為ニ因ル処分行為ヲ禁止スルコトヲ要セサルハ勿論ナリト雖債務者カ滅失毀損等事実上ノ行為ヲ以テ抵当物ニ対スル侵害ヲ敢行スル場合ニ於テハ其ノ侵害行為カ抵当権者ノ有スル債権ノ弁済期後ナルト或ハ抵当権ノ実行ニ着手シタル後ナルト否トヲ問ハス抵当権者ハ物権タル抵当権ノ効力トシテ之カ妨害排除ヲ請求シ得ヘキハ当然ナリト云ハサルヲ得ス」（大判昭六・一〇・二一民集一〇・九一三）。

我妻教授（法協五一・八・一五四七判民昭七・三八〇）の賛成批評がある。

【6】　抵当権の実行に着手する前に債務者が不法に立木を伐採したので、抵当権者から抵当権確認及び木材の引渡を請求した。原審は、【3】及び【4】に従つて請求を棄却したが、上告審は原判決を破毀差戻した。

「動産ニ対スル抵当権ナルモノハ因ヨリ成立スルニ由無シト雖一旦抵当権カ不動産ニ対シテ設定セラレタル以上其後不動産ノ一部カ元物ヨリ分離セラレ一ノ動産ト為リタル場合（例ヘハ収取セラレタル果実切リ出サレタル石材）ニ於テ唯此ノ一事ニ因リ抵当権ノ効力カ当然其物ノ上ヨリ消エ去ルノ道理無シ」「抵当権ハ絶対権ナ

ルヲ以テ抵当物ニ対シ（従ヒテ抵当権ソノモノニ対シ）危害ヲ加ヘムトスル者アル場合ニ於テハ其所有者タルト第三者タルトヲ問ハス之ニ対シ不作為ノ請求権ヲ有スルハ言ヲ俟タス……上告人カ被上告人ハ伐採シタル木材ヲ……運送セントシツツアリ仍テ木材ノ引渡ヲ求ムル為メ本訴ニ及ヒタリト主張セルハ少クトモ右ノ不作為請求権ヲ主張セル趣旨ト解シ得サルニ非ス原審トシテハ宜ク釈明権ヲ行使シ以テ其意ノ存スルトコロヲ審ニス可キニ拘ラス此挙ニ出ツルコト無ク輙ク所謂引渡請求権ナルモノヲ否定シ去リタルハ失当ヲ免ル可カラス」（大判昭七・四・二〇新聞三四〇七・一五）。

【7】　本件の事実関係は明かではないが、恐らく、抵当権の実行前に債務者が伐採した木材に対して他の債権者が強制執行をしたのに対して、抵当権者から執行異議を申立てたもののようである。原審は、【5】・【6】の判例に従つたものか、異議を認めたようである。これに対して上告審は、【3】と【4】の判例を引用して、次のように原判決を破毀差戻した。

「然らば本件に於て係争立木の伐採前既に抵当土地に対し競売手続の開始其の他差押処分ありたることを確定するに非ざれば未だ遽に本件木材に対し抵当権を行い得るものと断じ得ざる筋合なるに拘らず原審の措置茲に出でず漫然論旨摘録の如くに判示して上告人の請求を排斥し去りたるは抵当権の目的に関する法則を誤解したるか若は審理不尽の違法あり」（大判昭一一・一二・二二法学六・四・四九八）。

二　機械器具類

工場抵当において工場に備付けられた機械器具類に抵当権の効力が及ぶかについて、最初は、⑴抵当不動産に附加してこれと一体をなし不動産と目すべきものは特にこれを登記しなくても抵当権の効力が及ぶものであることが民法三七〇条によつて認められたが、後に、⑵機械器具類は動産であるとして抵当権の目的物から排除された。その後に、工場財団抵当において附属工場及びその備付機械類について抵当権の効力を認めたものがあるが(【17】)、動産である従物については主として次の畳建具類が問題となつている。

【8】 器械類を他の債権者が動産として強制執行したのに対して、抵当権者から優先権を主張して損害賠償を請求した。原審は、動産執行は違法であるとしても、抵当権を対抗するには登記を必要とするから、抵当権者の優先権の主張は許されないとした。大審院は原審判決を破毀差戻した。

「按スルニ本訴器械類ハ其附着シタル建物及ヒ地所ト共ニ抵当権ノ目的物ニシテ不動産ナリシコトヲ上告人カ主張シタルコトハ訴訟記録ニ徴シ明確ノ事項ナリ而シテ民法第三七〇条「(略)」ノ規定ハ民法施行法第三六条ノ明文ニ依リ本訴抵当権ノ如キ民法施行前ニ発生シタルモノニモ亦適用スルコトヲ得ヘキコト勿論ナルヲ以テ若シ本訴ノ器械類ヲシテ果シテ抵当権ノ目的タル地所若シクハ建物ニ附加シテ之ト一体ヲ為シ原不動産ト目スヘキモノナラシメハ仮令特ニ之ヲ登記スルコト無シト雖モ尚抵当権ノ及フヘキモノト云ハサルヲ得ス」(大判明三三・九・一一民録六・八・一)。

【9】 鉱山の器械場の抵当において、器械場に据付けられた器械類に対して他の債権者が動産強制執行をしたので、抵当権者から執行異議を申立てた。原審は、器械類は器械場の常用に供せられる従物であるとして、異議を認容した。大審院は、原審が器械類は従物であるといつた点を捉えて、原審判決を破毀差戻した。これは、山林抵当において立木が伐採されて動産となつた場合に、抵当権の効力を否定した【3】の判例と一脈通ずるものがある。

「依テ按スルニ民法第一編総則第八七条末項ニ従物ハ主物ノ処分ニ随フトアリ故ニ建物ノ所有者カ其建物ニ抵当権ヲ設定シタルトキハ之ニ附属セル従物タル動産ニモ亦抵当権ヲ設定シタルモノト看做サルヘキカ如シト雖

モ抵当権ハ独リ不動産ノミニ設定スルコトヲ許サレ動産ニハ之ヲ設定スルコトヲ許ササルコトハ民法第二編物権第一〇章第三六九条ノ規定スルトコロニシテ動産カ抵当権ノ目的ト成リ得ルハ抵当権ノ目的物タル不動産ニ附加シテ之ト一体ヲ成シタル場合ニ限ルコトハ同第三七〇条ノ法意ニ徴シテ明晰タリ蓋シ抵当権ハ其設定者ニ於テ物ノ占有ヲ債権者ニ移サスシテ単ニ之ヲ債務ノ担保ニ供スルモノナルニ動産ハ其性質トシテ唯タ類似品多ク甲ヲ以テ乙ニ代ヘ得ルノミナラス此ヨリ彼ニ転シ容易ニ其所在ヲ失シ債権弁済ノ担保トスル目的ヲ達シ難ク当事者間常ニ紛議ヲ生シ為メニ訴訟ヲ惹起シ公私共ニ其弊ヲ受クルニ至ルハ理ノ当然ナルヲ以テ動産ニ対シテハ抵当権ヲ設定スルコトヲ許サス而シテ動産カ不動産ニ附加シテ之ト一体ヲ成シ動産タルコトヲ変シテ不動産ノ一部分ヲ成スニ於テハ前顕ノ如キ弊害ヲ生スル虞ナキニ依リ之ニ対シテ抵当権ヲ設定スルコトヲ許シタルモノトス然レトモ動産ニシテ不動産ニ附加シテ之ト一体ヲ成サス依然動産トシテ存在スル以上ハ独立ノ動産タルト不動産ノ従物タルトヲ問ハス之ヲ以テ抵当権ノ目的物ト為スコトヲ許スニ於テハ共ニ前顕ノ弊害ニ陥ルハ二者同一ニシテ毫モ択フ所ナキヲ以テ独リ前者ニ禁シテ後者ニ許スノ理アルヲ視ス是ニ由テ之ヲ観レハ民法第二編物権第一〇章第三六九条抵当権ニ関スル規定ハ同第一編総則第八七条末項ノ原則ニ対スル除外例タルコトヲ知ルニ足レリ然ラハ則チ動産カ不動産ニ附加シテ抵当権ノ目的物ト成レルヤ否ヲ識別センニハ該動産カ抵当物タル不動産ニ附加シテ之ト一体ヲ成スヤ否ヲ以テ標準トセサルヘカラサルハ多言ヲ俟タサル所ナリ」（大判明三九・五・二三民録一二・八八〇）。

三　畳建具類

畳建具類は従物の典型として考えられている。だから、建物抵当において抵当権の効力が従物である畳建具に及ぶかは、【9】の判例からは否定されることになるが、大審院は連合部判決【10】を以て先例を改めた。(1)抵当権設定当時の従物は、別段の定がなされない限り、抵当権の目的となることが判例上確定した。(2)抵当権設定後の従物に抵当権の効力が及ぶかについては、【10】が否定的であるので、その後の判例はかなり苦慮しているようにみうけられる。

(1)　抵当権設定当時から附加されていた畳建具類

【10】　事実関係は審かでないが、債権者と債務者との間で債権及び抵当権の成立が争われて、債権者からその成立確定が訴求されていた。本件は風呂屋が抵当に入っていたのであるが、原審は、【9】の判例があるにもかかわらず、不動産及畳建具造作並に湯屋営業道具煙突共一式附属に対して抵当権の成立を認めた。債務者から上告して、動産である従物は抵当権の目的となりえないこと、従物は主物の処分に従うとしてもそれは抵当権設定当時の従物に限るべきであるがその事実が確定されていないこと、湯屋営業器具並煙突附属一式は湯屋営業とは関係があつても建物の従物ではないこと、ことに包括的に営業器具一式附属について抵当権の成立を認めるのは抵当権の性質と相容れないことを争つた。大審院は、結論においては原審の見解を支持するのであるが、先例に反するところから、民事部連合部判決を以て先例を改めておいて、原審判決は理由不備であるとして破毀差戻した。

「因テ按スルニ建物ニ付キ抵当権ヲ設定シタルトキハ反対ノ意思表示アラサル限リ該抵当権ノ効力ハ抵当権設定当時建物ノ常用ノ為メ之ニ附属セシメタル債務者所有ノ動産ニモ及ヒ是等ノ物ハ建物ト共ニ抵当権ノ目的ノ範囲ニ属スルモノト解スヘキハ民法第八七条第二項ノ規定ニ照シ疑ヲ容レサル所トス蓋シ同条項ノ規定ヲ設ケタル趣旨ハ処分当時ニ於ケル主物ノ利用価値ヲ減損セス其経済上ノ効用ヲ充実セシメントスル目的ニ出テタルモノニ外ナラサルカ故ニ主物タル建物ノ利用価値ヲ標準トシテ担保価値ヲ定ムルヲ常トスル抵当権設定ノ場合ト雖モ亦同条ヲ適用シテ権利ノ範囲ヲ定ムルヲ相当トスヘク従物カ動産タルノ故ヲ以テ抵当権カ之ニ及ハサルモノト解スルハ当ヲ得タルモノト謂フヲ得サレハナリ民法第三六九条第三七〇条ハ抵当権ノ効力カ其目的タル

不動産ニ附加シテ之ト一体ヲ成シタル物以外ノ動産ニ及ハサルカ如キ解釈ヲ容ルヘキカ如シ然レトモ民法第三六九条ハ裏面解釈上苟クモ不動産ニ非サルモノハ種類ノ何タルヲ問ハス之ヲ抵当権ノ独立ノ目的ト為スコトヲ得サル旨ヲ規定シタリト解シ得ヘキモ未タ以テ抵当権ノ効力ハ其目的タル不動産ノ従物タル動産ニ及ホスコトヲ得サル旨ヲモ併セテ規定シタルモノト解スヘキニアラス又民法第三七〇条ハ抵当権ノ効力カ抵当不動産ノ外物理上抵当不動産ニ附加シテ之レト一体ヲ成スモノニ及フ旨ヲ規定シタルモノナレハ経済上ノ用法ニ従ヒ物ノ主従ヲ定メ主物ト従物トヲ同一ナル法律関係ニ服従セシムルコトヲ目的トスル民法第八七条第二項ノ規定ト相妨クルモノニアラス然ラハ本院従来ノ判例ニ於テ動産ハ不動産ニ附加シテ之ト一体ヲ成シタル場合ニ非ラサレハ抵当権ノ目的ト為ルコトヲ得サルモノト解シタルハ失当ニシテ之ヲ変更スルノ必要アルモノト認ム（【9】参照）然レトモ如何ナル物ヲ以テ抵当権ノ効力ノ及フヘキ従物ト認ムヘキヤハ当事者ノ意思ヲ基礎トスル主観的標準ニ依ルヘキモノニアラスシテ前示スル所ニ従ヒ一般取引上ノ観念ニヨリ定マルヘキ客観的標準ニ則リ之ヲ決定スヘキモノトス換言セハ或物カ建物ノ継続的利用ノ為メ之ニ附属セシメラレタル場合ニ於テ之ヲ建物ヨリ分離スルトキハ建物ノ利用価値ヲ失ハシムルカ少クトモ其経済的効用ヲ減損セシムヘキモノナルニ於テハ其物ハ之ヲ建物ノ利用ノ為メニスル従物トシテ抵当権ノ目的ノ範囲ニ属スヘキモノト為ササルヘカラス果シテ然ラハ畳建具ノ如キ通常建物ノ従物ト看做サルヘキモノハ格別本件事案ニ於ケルカ如キ営業用諸器具ノ如キ必スシモ常ニ之ヲ建物ノ従物ト看做ヲ得サルト同時ニ絶対ニ之ヲ従物ト為シ得サルモノト為スニ及ハサルヘク其従物タルヤ否ヤハ一ニ建物ノ利用ノ目的如何ニ因リ定マルキヘモノト為スヲ相当トスヘシ」（大民連判大八・三・一五民録二五・四七三）。

この判例によって抵当権設定当時の抵当不動産の従物は、別段の定なき限り、抵当権の目的となることが認められてからは、抵当建物の従物、ことに畳建具類は抵当権の目的となることが多数の判決によって認められている。昭和八・七・二〇大判（新聞三五九一・一四物件返還請求事件）、昭和九・三・一四大判（法学三・九・一〇六二優先弁済請求）、

昭和一七・一二・二六大判（法学一二・五・四三一物品引渡事件）、昭和一八・二・一三大判（民集二二附録二五第三者異議事件）など。

(2) 抵当権設定後附加された畳建具類

【11】 未完成の建物を抵当に入れた後で債務者が建物を完成して畳建具を入れたが、それらの畳建具類を被上告人に売却し爾後債務者がそれらを賃借していた。賃料不払によつて畳建具類の賃貸借が解除され、債務者は被上告人にそれらを引渡すべき和解が成立していた。ところが、抵当権が実行されて抵当債権者が当該建物を競落したので、債務者は建物並びに畳建具類を競落人である抵当債権者に引渡した。そこで、被上告人から競落人（上告人）に対して畳建具類の返還を求めて本訴に及んだ。原審は、本件畳建具類は抵当権設定後に附加されたものでありかつそれらは取外し自由であつて建物と一体を為していないということで、畳建具のほか、外側雨戸、欄間、表裏入口戸などについてまで返還請求を認めた。大審院は、建物の内外を遮断する建具類は取外しが容易であつても建物と一体をなすものであるという見解を示して、原審判決を破毀差戻した。

「按スルニ畳建具ノ類ハ其ノ建物ニ備付ケラレタルトキト雖モ一般ニ独立ノ動産タルノ性質ヲ失ハサルヲ通例トスルモ雨戸或ハ建物入口ノ戸扉其ノ他建物ノ内外ヲ遮断スル建具類ノ如キハ一旦建物ニ備付ケラルルニ於テハ建物ノ一部ヲ構成スルニ至ルモノニシテ之ヲ建物ヨリ取外シ容易ナルト否トニ不拘独立ノ動産タル性質ヲ有セサルモノト云ハサルヘカラス蓋此等ノ建具類ハ取引ノ目的タル建物ノ効用ニ於テ其ノ外部ヲ構成スル壁又ハ羽目ト何等択フトコロナキヲ以テナリ原判決ハ本件ニ於テ被上告人カ引渡ヲ求ムル物件ハ建物ノ畳建具類ナルモ何レモ容易ニ建物ヨリ分離シ自由ニ取外シ得ルモノナルカ故ニ之ヲ目シテ建物ニ附加シテ之ト一体ヲ為セルモノト解スルヲ得スト云フモ其ノ事実摘示附属ノ目録ニ依ルトキハ右畳建具類ノ中ニハ表入口用硝子戸外側雨戸用杉硝子戸其ノ他建物ノ内外ヲ遮断スル多数ノ物件ヲ包含スルコト明ニシテ此等ノ物件カ建物ト一体ヲ為スヤ否ヤハ単ニ建物ニ対スル物理的関係ノミニヨリ之ヲ観察スヘキモノニアラス宜シク其ノ箇々ニ就キ建物ノ取

引上ノ効用ニ照シ之カ性質ヲ判断スヘキモノナルコト上来説示ノ如クナルヲ以テ……」（大判昭五・一二・一八民集九・一一四七）。

判旨に賛成評釈、末川教授（論叢二六・三・四六五）、我妻教授（判民昭五年四一三）。

【12】 未完成の建物が抵当に入れられ、後に建物の譲受人が畳建具を備付けた。抵当債権者（被告・被控訴人・上告人）が抵当権を実行してこの建物を競落し、引渡命令に基いて建物と共に畳建具の引渡をうけて占有している。ところが、競売手続開始後競落前に建物所有者が他の債権者（原告・控訴人・被上告人）のために畳建具を譲渡担保に供した。その債権者が畳建具の返還のために本訴に及んだ。第一審は、理由はわからないが、原告の請求を棄却した。原審は、譲渡担保は競売を妨げるための虚偽行為であるという証拠はないこと、建物抵当においては附属せる畳建具等は別個に取扱う地方慣習があり当事者はこの慣習によらないという別段の意思表示があつたとは認められないからその慣習に従つて畳建具は抵当権から除外したものと推定せられる、従つて畳建具は抵当権の目的ではないから、競売開始決定によつて差押の拘束もうけないという理由で、一審判決を取消して、原告の請求を認容した。大審院は、競売についても「従物は主物の処分に随う」原則の適用があることを理由として、原審判決を破毀差戻した。

「按スルニ抵当権カ其ノ設定契約ニ因リ建物ノミニ付存在シ其ノ従物ニ及ハサル場合ト雖其ノ抵当権実行ノ為メニ建物ト共ニ従物ヲモ競売ニ付シ競売手続完結シタルトキハ其ノ競売手続ハ従物ニ付テモ無効ニ非ス蓋従物ハ主物ニ従フトノ原則ハ斯カル公法上ノ行為ニモ反対ノ事情ナキ限リ適用セラルト解スルヲ相当トスレハナリ従ヒテ競落人ハ競落許可決定ニ因リ従物ノ所有権ヲモ取得スヘク又競売開始決定ニ因ル差押後ニ債務者タル所有者カ従物ニ付為シタル処分ハ競落人ニ対シテハ其ノ効力ナキモノト云ハサルヘカラス之レ抵当権ノ全然存セサルニ拘ラス抵当権実行ノ為メナリト称シテ建物及其ノ従物ヲ競売シ競売手続完結シタル場合ト其ノ効果ヲ異ニスル所ナリ然ルニ本訴物件ハ上告人カ抵当権実行ノ為メ競売ニ付シタル建物ニ附属セル畳建具等ノ動産ナル

コトハ当事者間ニ争ナキ所ナレハ若シ右建物ノ所有者タリシ者ニ於テ同人所有ノ本訴物件ヲ其ノ建物ノ常用ニ供スル為メ之ニ附属セシメタルコト上告人主張ノ如シトセハ本訴物件ハ即右建物ノ従物タリシコト論ヲ俟タス而シテ建物ニ畳建具等ノ従物タル動産ノ附属セルトキハ建物ノミノ表示ヲ以テ其ノ従物ヲモ一括シテ表示セルモノト解セラルルコトナキニ非ルカ故ニ若シ上告人ノ抵当権実行ノ為メニスル右建物ノ競売手続ニ於テ競売ノ目的物ノ表示カ右建物ト共ニ従物タル本訴物件ヲモ包含セルモノト解セラルヘキ場合ニハ其ノ競売手続完結セル以上競落許可決定ノ効力トシテ競落人タル上告人ハ右建物ト共ニ従物タル本訴物件ノ所有権ヲモ取得スヘク且競売開始決定ニ因ル差押ノ効力発生後ニ本訴物件ノミヲ譲受ケタル被上告人ハ其ノ所有権ヲ上告人ニ対抗シ得サルヘキコト前段説明セル所ニ依リ明ナリトス然ルニ原判決ハ本訴物件カ建物所有者タリシ者ニ於テ其ノ建物ノ常用ニ供スル為メ之ニ附属セシメタル同人ノ所有物ナリシヤ否ヤ従ツテ建物ノ従物ナリシヤ否ヤノ争点ヲ判断スルコトナク且上告人ノ抵当権実行ノ為メニスル競売手続ニ於テ競売ノ目的物ノ表示カ右建物ト共ニ従物タル本訴物件ヲモ包含セルモノト解スヘキヤ否ヤヲ判示セスシテ唯上告人ノ抵当権ハ其ノ設定契約ニ因リ建物ノミニ付存在シ之ニ附属セル本訴物件ニ及ハサル事実ノミニ基キ競売手続ハ本訴物件ニ付テハ其ノ効力ナク被上告人ハ本訴物件ノ所有権ヲ有効ニ取得セル旨判示シタルモノニシテ此点ニ於テ理由不備ノ違法アリ全部破毀ヲ免レス」（大判昭八・一一・二二民集一二・二九五四）。

この判例に対しては、末川教授（判例民法研究二〇四）と川島教授（判民昭八年七七二）とが反対評釈をしていられる。もつとも、後者は、抵当権設定後の従物にも抵当権の効力は及ぶとする見解から、破毀差戻の結果には賛成していられる。なお、競売の効力については、半年後に、次の【13】判例によつて覆えされている。

【13】　未完成の建物が抵当に入れられ、後に債務者である建物所有者が畳建具を備付けた。ところで、抵当権実行の競売開始決定がなされて後、他の債権者（被告・控訴人・被上告人）が債権に基き畳建具に対して強

制執行してその所有権を取得した。その後、抵当権者（原告・被控訴人・上告人）が該建物を競落し代金を支払つたが、畳建具の所有について争が起つたので、抵当権者である競落人から畳建具に対する強制執行の無効を主張して本訴に及んだ。第一審は、前の【12】の判例に従つたものが、原告の請求を認めた。原審は、抵当債権者と債務者との間に本訴物件について売買並賃貸借契約の公正証書が作成せられていたのをとらえて、これは虚偽のものであるとともに、これはむしろ本訴物件を抵当権の目的から除外する旨契約したものと認めるのが相当であるとして、第一審判決を取消して、被告の強制執行は有効であると認めた。大審院は、上告人が【12】の前例と同趣旨の主張をしたにもかかわらず、また連合部判決にもよらないで、原審判決を維持して、前例を覆えした。

「按スルニ民法第八七条第二項カ従物ハ主物ノ処分ニ随フト規定シタル所以ハ処分カ主物ノミニ関スルモノナリシコト不明ナリシカ為メ事後ニ於テ当事者間ニ生スルコトアルヘキ争ヲ避ケントスルニアルヲ以テ主タル建物ニ抵当権ヲ設定スルニ当リ右抵当権ハ将来之ニ附属セシムヘキ畳建具ニ及ハサル旨ノ合意当事者間ニ成立セルカ如キ場合ニ於テハ建物ニ関スル抵当権ハ其ノ後ニ於テ建物所有者カ建物ニ附属セシメタル畳建具ニ及ハサルコトハ勿論ノ次第ニシテ又抵当権実行ノ為メニスル競売手続ハ反対ノ事情ナキ限リ抵当権ノ目的タリシ物件ニ付キ開始セラレタリト認ム可キカ故ニ如上ノ特約アル抵当権ノ実行トシテ為サレタル競売手続ニ於テハ差押ノ効力ハ従物タル畳建具ニ及ハサリシモノト解スルヲ相当トス加之原判決認定事実ニ依ルモ本件ニ於テハ右建物ハ上告人自身ニ於テ競落シタルモノナリト云ヘハ上告人ハ既ニ抵当権設定ノ当事者トシテ本訴物件カ競売ノ目的物中ニ包含セラレサルヘキモノナルコトヲ知悉シ居リタルモノト云フ可ク民法第八七条第二項ハ従物カ主物ノ処分ニ随フ可キモノニアラサル場合ニ其ノ事実ヲ了知スル者ヲ保護セントスル主旨ニアラサルコトハ既ニ冒頭説示ニ依リテモ之ヲ知リ得ヘキカ故ニ上告人ハ右法条ノ適用ヲ受クルヲ得ス本訴物件ヲ建物ノ競落ニ因リ

テ取得シ得サルモノナルコトハ明白ナルヲ以テ原判決ノ判断ハ結局相当ナルニ帰シ論旨ハ採用ニ値セサルモノトス」（大判昭九・七・二民集一三・一四八九、新聞三七七八・一〇）。

この判例に対しては、川島教授（判民昭九年三四九）、大谷教授（民商一・三・一八六）、岡村判事（新報四五・三・五二四）の評釈がある。川島教授は、抵当権の効力は、別段の定がなければ、抵当権設定当時の従物のみでなく設定後の従物にも及ぶという見解の下に、大谷教授は、設定当時の従物には及ぶが設定後の従物には及ばないとの見解から、共に、この場合には抵当権の効力は従物に及んでいないのであるから、競売の効力は従物である畳建具に及ばないとする本判決に賛成。岡村判事は、抵当権の効力は従物には及ばないが、競売においても、別段の定がない限り、従物は主物の処分に随うとの見解の下に、別段の定がある本件においては結果において本判決に賛成していられる。

四　附属建物

建物抵当において抵当権の効力は附属建物に及ぶかについて、古くは、附属建物についてもその登記をしなければ抵当権が附属建物に及ぶことをもつて第三者に対抗することができないという判例があるが、後には、(1)抵当権設定当時の附属建物についても、(2)抵当権設定後に附属せしめたものについても、建物抵当権はその附属建物にも及ぶという結果が承認されている。もつとも、附属建物が従物であるか附加物であるか、建物の箇数又は一体性はどうして決めるかについては問題を残している。

【14】　土地及び建物抵当権が実行されて競落人が土地及び建物所有権を取得した。ところで、抵当建物に附

属した離座敷及び湯殿については何等登記されていなかつた。そこで、債務者が後にこれらの附属建物について登記し、法定地上権を主張して、競落人に対して地上権設定登記を要求して本訴に及んだ。競落人は、附属建物の存在は抵当権者は初めから知らなかつたものであり、また、附属建物のみについては法定地上権の成立は認められないという点のみを争つて、建物抵当は附属建物にも及ぶという点を十分に争わなかつたためか、【8】の判例に反して、敗訴している。

「然レトモ民法第三八八条ニ所謂建物トハ必スシモ単ニ主タル建物ノミヲ指シタルモノニアラス従タル建物ト雖モ主タル建物ヲ目的トシタル抵当権ノ之ニ及ハサル場合ニ於テハ同条ノ適用ヲ妨ケサルモノト解セサルヲ得ス何トナレハ抵当権ノ及ハサル建物ハ他ノ建物ニ対シ従タル関係ニアルト否トニ拘ラス抵当権実行ノ場合ニ於テ競売ノ目的ト為ラス依然トシテ従来ノ所有者ニ属スレハナリ本件ニ於テ抵当権カ係争ノ建物ニ及フモノナルヤ否ヤノ問題ニ付テハ原審ニ於テ争点トナリタル形跡ナキヲ以テ原院カ斯ル問題ニ言及セサリシハ当然ノ事ナリ且本件ノ抵当ト為リタル建物ト係争ノ建物トノ間ニ主従ノ関係アリト仮定スルモ建物ニ関スル登記ハ主タル建物ト附属建物トヲ同一表示欄ニ表示シテ之ヲ為スヘキコトハ不動産登記法ノ規定スル所ナレハ附属建物ニ付キ登記アルニ非サレハ抵当権者ハ主タル建物ヲ目的トシタル抵当権カ其附属建物ニ及フコトヲ以テ第三者ニ対抗スルコトヲ得ス而シテ本件ハ抵当権ノ実行ヲ終ルニ至ルマテ係争建物ニ付何等ノ登記ナカリシ事実ナレハ抵当権ノ之ニ及フモノト謂フヲ得サルヤ明ケシ」（大判明四一・五・一一民録一四・六七七）。

(1) 抵当権設定当時の附属建物

【15】 建物抵当権が実行されて競落人が建物所有権を取得した。ところで、抵当建物に附属した納屋便所及湯殿並に平家建一棟については登記がなされていなかつた。そこで、後に債務者が附属建物について保存登記をしこれを譲受人に対して移転登記をした。附属建物の所有について争が起つたので、競落人から債務者と譲

受人を相手として附属建物の所有権確認と登記抹消とを求めるために本訴に及んだ。債務者側は、【14】の判決と同趣旨の主張をして上告したが、大審院はこの請求を棄却した。
「然レトモ従物ハ主物ノ処分ニ従フモノナレハ競売ノ場合ニモ特ニ其従物ヲ除外スルニ非サレハ其競売ハ主物ト共ニ従物ヲモ其目的ト為シタルモノニシテ競落人ハ主物及従物ノ所有権ヲ取得スヘキモノトス本件ニ於テ係争ノ納屋便所及湯殿カ二階建家屋ノ常用ニ供セラレ且ツ其所有者ヲ同フシ二階建家屋ノ上ニ抵当権ノ設定アリテ被上告人ハ該抵当権実行ニ因ル競売ニ於テ競落シタルモノナルコトハ原判決ノ確定セル所ニシテ該競売ニ於テ係争建物ヲ除外シテ競売ニ付シタルモノナルコトハ上告人ノ之ヲ主張セルモノニ非サルコトハ本件記録上明カナレハ被上告人ハ係争物ノ所有権ヲモ取得セルモノト為ササルヘカラス」「然レトモ不動産ニ附加シテ之ト一体ヲ為シタル物ハ独立シテ所有権ノ目的タリ得ヘキニ非スシテ其主タル不動産ノ一部ヲ成スモノナレハ其不動産ヲ目的トスル所ノ権利ハ其全体ニ及フヘキハ当然ニシテ原判決ハ係争ノ平家建一棟ハ二階建家屋ニ附加シテ之ト一体ヲ為シ右二階建一棟ヲ除去スレハ独立シテ存在シ得サルモノニシテ被上告人ハ競落ニヨリ右二階建家屋ノ所有権ヲ取得シタルコトヲ確定シタルモノナレハ之ニ依リ被上告人ハ係争平家建一棟ニ付テモ所有権ヲ取得セルモノニシテ上告人ニ於テ其所有権ヲ取得スヘキモノニ非サルヲ以テ原判決ノ説明稍穏当ヲ欠ク嫌アルモ本件請求ノ当否ヲ判断スルニ影響ナキヲ以テ論旨ハ理由ナキモノトス」（大判大七・七・一〇民集二四・一四四一）。

【16】　家屋が抵当に入れられる前に、区画整理によつて附属建物が改築され、更に二階建土蔵造の店舗が新築され、その都度変更登記がなされていた。この建物が根抵当に入れられていた。ところが、変更登記がなされていながら、登記坪数と実坪数とが二〇数坪異つていた。そこで、間口七間奥行四間の新築された二階建土蔵造店舗について債務者が別登記をして、これに他の債権者のために抵当権を設定した。これに対して第一の根抵当権者（原告・控訴人・上告人）が異議を述べ、抵当建物の更正登記をするについて債務者及び第二の抵

当債権者（被告・被控訴人・被上告人）の同意を求めて本訴に及んだ。第一審は附属建物についての更正は認めたが、土蔵造店舗についてはこれを認めなかつた。原審は、土蔵造店舗が新築されたときにこれを本家と一体をなす本家の一部として変更登記を申請したものであることは認められるが、建物が一箇か数箇かは所有者の意思に基いて決定せらるべきものではなく事実上の状態によつて定まるべきものであつて、土蔵造店舗は本家とは全然別個の建物であるから、店舗も根抵当権の目的となつていたとしても、店舗について新築による保存登記をしてこれに抵当権設定登記をしなければその抵当権をもつて第三者に対抗することができないとして原告の請求を棄却した。大審院は、左の理由で、原審判決を破毀差戻した。

「按スルニ原判決ハ建物ノ箇数ヲ判断スルカ為ニハ専ラ建物ノ物理的構造如何ニ依リ之ヲ定ム可ク所有者ノ意思ノ如キハ之ヲ参酌スヘキモノニアラスト為シ其ノ構造ヨリシテ本件二階建土蔵造店舗ハ独立ノ建物ニシテ其ノ背後ニ接著シテ建テラレタル瓦葺二階建ト全ク別箇ノ建物ナリト判定シ上告人ノ本訴請求ヲ排斥シタリト雖建物モ亦物権ノ目的物トシテ取引ノ対象ト為ル以上其ノ箇数ヲ定ムルニ当リ取引上ノ性質ヲ無視シ得サルハ勿論ノ次第ニシテ取引或ハ利用ノ目的物トシテ観察シタル建物ノ状態ノ如キモ亦其ノ箇数ヲ定ムルニ付重要ナル資料タルモノト云フヘシ而シテ此等ノ状態ヲ判断スルカ為ニハ或ハ其ノ周囲ノ建物トノ接著ノ程度連絡ノ設備四辺ノ状況等ノ客観的事情ヲ参酌スルハ素ヨリ或ハ之ヲ建築シ所有スル者ノ意思ノ如キ主観的事情ヲモ考察スルヲ必要トスルモノニシテ単ニ建物ノ物理的構造ノミニ依リテ之ヲ判断スヘキモノニアラス原審カ此等ノ事情ヲ考慮セスシテ如上ノ決定ヲ為シタルハ畢竟審理ヲ尽ササルノ憾アルモノト云ハサル可カラス」（大判昭七・六・九民集一一・一三四一）

この判決に対して戒能教授（判民昭七年三五六）は、判決要旨は抽象的には正当であるが、物理的に同一性を有せず社会的に同一物として取扱われる本件の如き場合には、対債務者の関係と対後順位抵当権者の関係とは別に分けて考えることが必要であつて、後順位抵当権者は後になされた保存登記の上に抵当権を設定したのであるから、その立場は既登記建物と未登記建物とがあつて未登記建物について保存登記をして抵当権を設定した【14】の場合と同様に考えるべきではあるまいか、というふうに評釈していられる。

【17】　工場財団抵当が実行されて工場財団を抵当債権者が競落した。ところが、工場の増築された数箇の附属建物及び本件係争の附属工場については、変更登記又は保存登記がなされることなく、また、財団目録にも記載されていなかつた。そこで、右の競落決定の数日前に、債務者は本件附属工場及び備付の機械器具類を他の債権者のために代物弁済として譲渡し、その債権者が附属工場の保存登記をして附属工場を更に第三者に移転登記した。この附属工場の所有関係に争を生じ、競落人から債務者、他の債権者及び譲受人を相手として所有権確認及び登記抹消を訴求した。第一審は原告の請求を棄却したが、原審は、請求の一部を除き、原告の請求を認容した。大審院も、左の理由で原審判決を維持した。

「然レトモ原審挙示ノ各証拠ヲ綜合スレハ本件（附属工場建坪一一三坪）ハ本件工場財団中ノ（本工場建坪三七六坪五合）ニ増築シ附加シ一体ヲ為スモノナル事実ヲ認定シ得ラレサルニアラサルカ故ニ此ノ点ニ関スル所論ハ結局原審ノ専権ニ属スル証拠ノ取捨判断及事実ノ認定ヲ非難スルニ帰シ採用スルニ由ナシ而シテ抵当権ハ其ノ目的タル不動産ニ附加シテ之ト一体ヲ為シタル物ニ及フモノナルコト民法第三七〇条ニ徴シ明ナレハ前記工場建坪三七六坪五合カ工場財団ニ属スルモノトシテ登記シ工場財団ニ抵当権ノ設定アリタルトキハ抵当権ハ前記ノ建物ハ勿論之ト附加シテ一体ヲナシタル本件係争ノ建築物ニ其ノ効力ヲ生シ附加一体ヲ為シタル部分ニ付工場財団ノ目録ニ其ノ記載ノ為サレサル場合ニアリテモ附加セラレタル不動産ト同一ノ支配ヲ受ケ工場財団ニ属スルモノト解セサル可カラス従テ原審カ本件係争ノ附加一体ヲ成シタル部分ヲ以テ本件工場財団ニ属スル

モノト判定シタルハ毫モ違法ノ点アルナシ又本件動産ハ本件工場財団中ノ（機器）ニ附属スル物ナルコトヲ原審カ其ノ挙示スル各証拠ヲ綜合シテ之ヲ認定シ前記ノ各器ノ下ニ附属品トシテ工場財団目録ニ記載シアルニヨリ本件工場財団ニ属スルモノト判定シタルコトヲ窺知シ得ヘク此ノ点ニ付毫モ違法ノ点アルコトナシ尚ホ又原審ハ其ノ挙示スル証拠ニ依リ所論ノ動産カ本件工場内ニ存在スル事実ヲ認定シタルコト判決理由前後ノ説明ヲ対照スレハ自ラ之ヲ窺知スルヲ得而シテ斯クノ如ク認定シ得ラレサルニアラサルヲ以テ原審ニ何等所論ノ如キ違法ノ点ナシ左レハ本件建物及動産ハ本件工場財団ニ属シ抵当権設定シアルモノナレハ上告人所論ノ譲渡ハ法律上其ノ効ナク此ノ点ニ関スル上告人ノ主張ヲ排斥シタル原判決ハ至当ニシテ論旨ハ何レモ其ノ理由ナシ」（大判昭八・五・二四民集一二・一五六五）。

この判決に対しては我妻教授（判民昭八年四三）の評釈がある。工場財団抵当権の効力は、財団を組成する土地又は建物の附加物及びこれに備付けた機械、器具その他工場の用に供する物には当然に及び、これらの物が一々工場財団目録中に記載されていることを必要としないが、この抵当権の効力をもつて第三者に対抗するためには、それらの物が工場財団目録中に記載されていることが必要である。本件の附属機械器具については、財団目録中に「附属品共」と記載されているからそれでよいが、附属工場は、かなり大きなものであり、主たる部分との接続においても物理的にはかなり独立性があるので問題であるが、然し工場の経済的作用からみてなおこれを附加して一体を成すものと認定した原審の態度は恐らく正当であるから、主たる部分の登記によつて増築された附属工場もカバーされると謂いうる、というふうにいつておられる。

(2)　抵当権設定後増築された附属建物

【18】抵当建物に債務者が後になつて茶の間を増築し、建物登記に増築登記をしたが、更に、債務者が勝手に茶の間について分割登記をした。そこで、抵当権者は茶の間にも抵当権の効力が及んでいるから抵当権者の承諾なくして分割登記をした登記官吏の処分は違法であると抗告した。原審も抗告を容れなかつたので再抗告した。大審院は、左の理由で原審決定を破棄差戻した。

「按スルニ抵当権ハ其目的タル不動産ニ附加シテ一体ヲ為セルモノ而已ナラス従物ニモ亦及フモノナルコトハ当院ノ判例トスルトコロナリ本件係争ノ第五号建物ハ之ヲ原裁判所ノ決定セル事実ニ徴スルニ後日ニ至リ増築セラレタル茶ノ間ニシテ従テ主タル建物即チ第一号建物ノ従物ト目スヘキモノナルカ故ニ抗告人ノ有スル本件抵当権ハ又当然該建物ニモ及フ可キモノトス従テ之ニ付キテ分割登記ヲ為サムカ為メニハ利害関係人タル抗告人ノ承諾又ハ之ニ代ハル可キ裁判ノ謄本ヲ必要トスルニ拘ハラス此手続ニ出テサリシハ違法」（大決大一〇・七・八民録二七・一三一三）。

この判決に対して我妻教授（判民大一〇年三六〇）は、本件が【10】の連合部判決を援用するのであれば場合が全く異つており、また、茶の間を従物ということが間違つている、本件には、茶の間を附加物とみて、民法三七〇条を適用すべきではなかろうか、と評釈しておられる。

【19】主たる建物に抵当権を設定した後、抵当債務者が二棟の建物を築造し、これを主たる建物の附属建物として主たる建物の登記用紙に登記していた。抵当債権者が抵当権を実行するために競売を申請するに際り、主たる建物と共に二棟の附属建物についても申請したのに対し、その申請が棄却されたので本件抗告をした。原審は、抵当権設定後の従物には、別段の定がなければ、抵当権の効力は及ばないという【10】の判例と同一見解の下に、本件抗告を棄却した。大審院は、左の理由で原審決定を取消差戻した。

「按スルニ不動産登記法第一五条ニ依レハ建物ノ登記ニ於テハ一棟ノ建物ニ付キ一用紙ヲ備フヘキコトヲ規定

シ同法第三七条ニハ登記スヘキ建物ニ附属建物アルコトヲ予想セルヲ以テ見ルニ不動産登記法ハ一用紙ニ登記セラレタル附属建物ハ其ノ主タル建物ト共ニ一個ノ建物トシテ之ヲ遇スルコトヲ知ルニ足リ又不動産登記法ハ不動産カ実体法上権利ノ目的トナル最モ原則的ノ形状ヲ基本トシテ規定シタルモノナルニ鑑ミルトキハ建物ノ単位ヲ決スルニ付キテハ之ヲ反対ニ解スヘキ事情ナキ限リ登記簿上の附属建物ハ同一用紙ニ記載セラレタル主タル建物ト一体ヲ成セルモノトシテ観察シ之ヲ一個ノ建物ト見做ス可キモノナルヤ疑ヲ容レス而シテ民法第三七〇条ニ依レハ設定行為ニ別段ノ定メナキ限リ建物ニ付キ設定セラレタル抵当権ハ其ノ目的タル建物ニ附加シテ之ト一体ヲ成シタル物ニ及フモノナルコト明ニシテ右法条ハ附加シテ一体ヲ成シタルコトカ抵当権設定ノ前ナルト後ナルトヲ区別セサルヲ以テ之ヲ前説示ニ照セハ主タル建物ニ設定セラレタル抵当権ハ設定行為ニ別段ノ定メナキ限リ原則トシテ抵当権設定後右建物ノ附属建物トシテ同一用紙ニ登記セラレタルモノニ及フモノナルヲ知ル可シ（【18】決定参照）原決定ハ本件ノ建物ハ主物従物ノ関係ニアルモ其ノ従タル建物ハ主タル建物ノ抵当権設定後ノ築造ニ係ルモノナルカ故ニ主タル建物ノ抵当権ノ効力ヲ及ホス為ニハ当事者カ別段ノ意思表示ヲ為シタルコトヲ要スト為シタルモノニシテ即チ建物ノ主物従物タルノ関係ノミニ拘泥シ此ノ従タル建物カ主タル建物ト同一登記用紙ニ登記セラレタル点ニ着眼セサリシハ失当ナルモノト云ハサルヲ得ス果シテ然ラハ若本件附属建物カ前記ノ如ク主タル建物ニ附加シテ一体ヲ成シタルモノト認ム可カラサル事情アルカ或ハ当事者ニシテ抵当権ノ設定ニ当リ前記ノ如キ特別ノ意思表示ヲ為シタルコトヲ是認シ得サル限リ本件債権者カ主タル建物ト共ニ其ノ抵当権設定後ニ附加セラレタル附属物ニ付キ競売ノ申請ヲ為シタルハ相当ニシテ之ヲ違法ト認メル原決定ハ法律ノ解釈ヲ誤リタルカ或ハ事案ヲ判定スルニ付キ必要ナル事実ノ審理ヲ尽ササリシカノ憾アルモノトシテ取消ヲ免レサルモノトス」（大決昭九・三・八民集一三・二四一）。

この判決に対しては、我妻教授（判民昭九年六三）、末川教授（判例民法研究二二〇）、石田教授（論叢三一・四・七五六）、片山教授（新報四四・八・一三〇・

二の評釈がある。各教授各々見解を異にしている。抵当権設定後の従物に抵当権の効力が及ぶかについて、我妻・石田両教授は賛成であるが、末川・片山両教授は反対である。建物の単一性は同一登記用紙を基準とすべきかについては、我妻・末川両教授は賛成であるが、石田・片山両教授は反対である。

五　果　実

抵当権は、抵当権設定者に抵当不動産の使用収益権を留保する非占有担保権であるから、原則として、抵当不動産の果実には及ばない（民三七一I本文）。ただ、抵当不動産の差押があつた後、又は、民法三八一条による抵当権実行の通知をした後は、抵当不動産の果実にも及ぶ（民三七一I但）。もつとも、抵当権実行の通知をした場合には、その通知後一年内に抵当不動産を差押えたときに限られる（民三八一II）。そして、抵当権の効力が及ぶ場合の果実は、(1)天然果実に限られ、(2)法定果実は含まない。

(1)　天然果実

【20】　抵当債権者が、抵当権を実行して、抵当田地の競落許可決定をうけ、競売代金納付前に、立稲毛を刈取り同地上に乾燥保管していたところ、代金納付後に、田地所有者が稲毛を持去つたので、競落人である抵当債権者から田地所有者に対して、果実収穫権侵害による損害賠償を請求した。原審は、競落人が抵当土地と共に地上稲毛の所有権を取得するのは、民法三七一条一項但書のみによるものではなく、競落人が土地所有権を取得するまで稲毛と土地とが分離せずして一体を成している状態が存続することに基因するものであるから、その当時既に土地から分離しているときは競落人は分離果実の所有権は取得しえない、として右の請求を棄却した。大審院は、左の理由で原審判決を破毀差戻した。

「按スルニ抵当権カ抵当不動産ノ差押アリタル後ハ之ト一体ヲ成ス果実ニモ其ノ効力ヲ及ホスコトハ民法第三七一条第一項但書ノ規定ニ依リ明白ニシテ右但書前段ニ「抵当不動産ノ差押アリタル後」ト規定セルハ抵当権者カ競売法ニ依リ抵当権ノ実行ニ着手シタル場合ヲモ包含セシムル趣旨ナルコト当院ノ夙ニ判例トスルトコロナルカ故ニ（大正三年（オ）第八〇四号同四年三月三日言渡判決）抵当権者カ競売法ニ依リ抵当権ノ実行ニ着手シ該抵当不動産ノ競売開始決定アリタル後ハ右不動産ノ所有者ニ於テ之カ収益ヲ継続スルコトヲ得ス法律ハ所有者ノ果実収取ニ関スル権利ヲ剝奪シ抵当権者ヲシテ該不動産ノ果実ニ付テモ其ノ後分離シタルト否トヲ問ハス之ニ依リ優先シテ弁済ヲ受ケシムルモノト謂ハサルヘカラス」（大判昭一四・一二・二六民集一八・一六四六）。

この判決に対しては、小池（民商一一・六・九八）野田（判民昭一四年三九五）両教授の賛成評釈がある。

(2) 法定果実

【21】 田地抵当において、競落人から競売開始決定後の小作料の支払を訴求した。原審も大審院も競落人には法定果実の取得権は認めなかつた。

「然レトモ民法第三七〇条ハ抵当権カ抵当地ノ上ニ存スル建物ヲ除ク外其目的タル不動産ニ附加シテ之ト一体ヲ成シタル物ニ及フコトヲ規定シタル迄ナレハ不動産ニ附加シテ之ト一体ヲ成スモノニアラサル法定果実ニ抵当権ノ及ハサルコト勿論ニシテ同第三七一条ニ所謂果実ハ天然果実ノミノ謂ニシテ法定果実ヲ包含セサルコト亦多言ヲ俟タス」（大判大二・六・二一民録一九・四八五）。

右と同趣旨の判決として、大六・一・二七大判（民録二三・九七）、昭九・五・八大判（新聞三七〇二・一四）がある。前者は、なお、法定果実に対する物上代位の主張について、次のように判示している。

「然レトモ民法第三七二条ノ準用ニ係ル同第三〇四条ノ規定ハ抵当権ノ目的物ニ付キ抵当権実行ヲ為シ得サル場合ニ於テ抵当権者ヲシテ其目的物ニ代ハル債権ノ上ニ抵当権ヲ行使セシムル規定ニシテ本件ニ於ケルカ如ク

抵当権者カ現ニ抵当権ノ目的物ニ付キ抵当権ヲ実行スル場合ニ於テ其適用アルモノニ非ス」

六　物上代位

抵当権についても物上代位に関する民法三〇四条が準用されている(民三七二)。物上代位の問題は、担保物権一般に関する問題であるから、ここでは省略する。なお、抵当権の目的である畳建具類が、後で、新らしいものと取替えられた場合について、次のような法曹会決議(大九・九・二五決議法曹記事三〇・九二三)がなされている。

「当事者カ抵当権ノ目的ト為シタルハ前ノ畳建具ニシテ物理上後ノ畳建具ハ前ノ畳建具ト全然別物ナレハ後ノ畳建具ハ抵当権ノ目的ト為ラサルモノニ似タリ然レトモ社会普通ノ観念ニ従ヘハ或建物ニ従物トシテ附属セシメル畳建具ハ朽廃其他ノ事由ニ依リ他ノ新ナル畳建具ト取換フルモ其建物ニ従物トシテ附属セシメタル以上ハ前ノ畳建具ト同一物ト看做スモノト解スルコトヲ得ヘシ即チ前示前ノ畳建具ト後ノ畳建具トハ物理上ヨリ言ヘハ別物ナルモ社会観念上同一物ナリト謂フヲ得ヘシ故ニ建物ト従物タル畳建具トヲ目的トスル抵当権ハ其設定後畳建具ヲ取換ヘタルトキハ後ノ畳建具ニ対シテモ其効力ヲ及ホスモノト解スルヲ相当トス」

三　むすび

抵当権の目的物の範囲について、最初の判例(【8】)は、機械器具類を地所及び建物に附加してこれと一体を成し不動産と目すべきものとして、これに民法三七〇条を適用した。次に、山林の伐木(【3】)、機械器具(【9】)は動産であるから抵当権の目的とはなりえないと解した。これが転じて、抵当権設定当時の従物は不動産(【15】)も動産(【10】)も抵当権の目的となることを承認した。大正八年の判決（【10】）は民事部連合部判決であるので、動産であつても不動産の従物は抵当権の目的となりうること及び抵当権設定当時の従物は、附加物でなくても、別段の意思表示がない限り、抵当権の目的となることが判例上確定した。したがつて、抵当権設定当時の附属物は、附加物であるか従物であるかは、別段の意思表示がなされることの事実上の多寡には差がありうるとしても、両者を厳密に区別する必要性又は実益は殆んどなくなつた。ところで、右の連合部判決は、従物と附加物とを明確に区別して、附加物は物理上不動産に附加されて一体となつたものであり、これは民法三七〇条によつて抵当権の目的となるが、従物は解釈規定である民法八七条二項によつて抵当権の目的となるものと解した。だから、抵当権設定後の附属物は、附加物か従物かによつて全く別個の取扱いをうけることになつた。これが連合部判決であるだけに、抵当権設定後の従物が抵当権の目的に属するか否かについて、判例はここから第二の苦難の道を歩まねばならなくなつてきた。

抵当権設定後の附属建物については、主たる建物と同一用紙に登記することによつて一体性を認めて（【18】【19】）、そこに逃げ道を見出している。畳建具類については、建物の内外を遮断する建具類は建物と一体をなすとか（【1】）、競売においても従物は主物の処分に随う原則が適用されるとか（【12】）いい、また、抵当権設定当時に別段の意思表示がなされていたこと（【13】）に救いを求めている。判例としては、【18】判例において、増築された茶の間を従物ということによつて、抵当権設定後の従物にも抵当権の効力が及ぶことは本院の判例とするところである、ということによつて、この苦難の道を閉じようとしたのではなかつたのではあるまいか。

次に、抵当権の目的物の一部が分離して動産化した場合並びに抵当不動産から分離した場合に、抵当権の効力が分離した動産に及ぶか、どこまで及ぶか、という問題がある。抵当権の目的であつた従物が抵当不動産から分離した場合については先例が見当らない。山林抵当において、立木が伐採されて動産化した場合にその例が見られる。動産は抵当権の目的とならないから立木が伐採されて動産となれば抵当権の目的から離脱すると解したが（【3】）、競売開始による差押の効力によつて先ず限界づけ（【4】）、後には、競売手続前でも抵当権侵害に基く妨害排除請求権によつて伐木の返還請求を認めた（【5】）。もつとも、その後、判例とはされていないが、【5】に従つた判決（【6】）と【4】に従つた判決（【7】）と相反する二つの判決がでている。この問題も判例としてはまだ確定していない。

抵当権の目的物の範囲は、抵当権設定当時の不動産及びその附属物に及ぶということには、現在では異論はない。抵当権設定後の附属物及び競売開始前に分離した物については、なお問題を残している。抵当権設定後の附属建物であつても、これが主建物と同一用紙に登記されたときは、主建物と一体を成して抵当権の目的となる。したがつて、抵当権設定後に附加された附属建物であつてそれが主建物と同一用紙に登記されていない場合や設定後に附加された従物について問題は解決されていない。判例が抵当権は従物にも及ぶから抵当権設定後の従物にも抵当権が及ぶというところには論理の飛躍があり、また、判例が同一登記用紙に登記することによつて建物は一体となるというのは論理の倒立である。更に、競売においても従物は主物の処分に従う原則の適用を認めて抵当権の効力を従物に及ぼさしめることも、これも全くの逃避論にすぎない。しかしながら、これらを通じて、抵当権設定後の附属物にも抵当権の効力を及ぼしめるために、判例がいかに苦心しているか、その苦衷の程が察せられる。

判例が、建物の箇数を定めるには、単に建物の物理的構造のみによるべきではなく、取引又は利用の目的物として観察した建物の状態も重要な資料となり、そのためには建築し所有する者の意思の如き主観的事情をも考察する必要がある（【16】）といっているところを押進めれば、同一登記用紙に登記することはその主観的意思の客観化の一方法にすぎないことにもなり、したがつて、抵当権設定後の附属建物は、建築と同時に別登記をしない限り、主たる建物と一体とする意思を推測しうることになるであろう。また、【10】の判例が、附加物と従物とを分つてはいるが、抵当権の効力の及ぶべき従物と認むべきかは、当事者の意思を基礎とする主観的標準によるべきものではなくて、一般取引の観念によつて定まるべきものである、といつているところからすれば、別段の意思表示がない限り、工場抵当の場合には、現在及び将来の機械器具類に、住宅抵当の場合には、現在及び将来の畳建具類に抵当権の効力は及ぶと解することもあながち困難ではあるまい。むしろ、不動産一般について、その箇数を定めるのは、取引又は利用の目的物として観察して一般取引観念に従つて定めることが必要であり、かつ、これで十分であつて主物従物の観念に拘泥すべきではないというところまでゆくべきではあるまいか。

民法第三七〇条の比較立法及び立法の沿革並に取引上の物の観念からすれば、従物も主物と一体として取引又は利用の目的となるべきものである。だから、附加物は旧民法の「増加又は改良」として理解すれば問題は一気に解消するわけである。先例に拘束される判例の立場からしても、将来の動産の処分も理論上可能であるから（於保「将来の権利の処分」論叢三四・六五）、民法八七条二項を根拠としても、一般取引上の観念からすれば、別段の定がない限り、現在及び将来の従物が主物の処分に随うと解することも何等妨げない。もともと、民法八七条二項も三七〇条も従物は法的に独立性があっても経済的には一体であるという観念に基いて設けられた規定であるので、何れの規定を根拠としても同一結果に帰着すべき筈のものである。ただ、八七条二項は解釈規定として設けられたものであり、三七〇条は目的物の引渡を内容とすることなく、登記を対抗要件とする抵当権について、特に対抗要件との関係において存在意義をもつ規定であるにすぎない。判例の今後の進展の仕方は未だ予測を許さないが、結局のところは、抵当権の効力は抵当権設定後に抵当不動産に附属せしめられた物にまで及ぶことを承認する方向に進むものと思われる。また、このことを期待して已まない。

（附記）　紙数の関係から抵当権の及ばない目的物については割愛することにした。

最高裁判所判例

控訴院判例

高等裁判所判例

地方裁判所判例

区裁判所判例

行政裁判所判例

判 例 索 引

大審院判例

著者紹介

渡辺洋三（わたなべ ようぞう） 東京大学社会科学研究所員

林千衛（はやし せんえ） 弁護士

於保不二雄（おぼ ふじを） 京都大学教授

総合判例研究叢書　民法(5)

昭和32年6月25日　初版第1刷印刷
昭和32年6月30日　初版第1刷発行

著作者　渡辺洋三
　　　　林千衛
　　　　於保不二雄

発行者　江草四郎

印刷者　堀内文治郎

東京都千代田区神田神保町2ノ17
発行所　株式会社　有斐閣
電話九段(33)0323・0344
振替口座東京370番

印刷・株式会社堀内印刷所　製本・株式会社高陽堂

総合判例研究叢書 民法(5)
(オンデマンド版)

2013年2月1日　発行

著　者　渡辺　洋三・林　千衛・於保　不二雄
発行者　江草　貞治
発行所　株式会社 有斐閣
〒101-0051　東京都千代田区神田神保町2-17
TEL　03(3264)1314(編集)　03(3265)6811(営業)
URL　http://www.yuhikaku.co.jp/

印刷・製本　株式会社 デジタルパブリッシングサービス
URL　http://www.d-pub.co.jp/

AG458

ISBN4-641-90984-9
Printed in Japan